Vision

一些人物，
一些視野，
一些觀點，
與一個全新的遠景！

收刀入鞘

黑道變傳道的眞實故事

呂代豪◎著

各界菁英・感動推薦

（以下依姓名筆劃順序排列）

小野【作家】

王拓【立法委員】

王昇【前國防部總政戰主任】

王育誠【台北市議員】

朱鳳芝【立法委員】

邱仲峰【台北醫學大學附設醫院腫瘤科中心主任】

余宗澤【展茂光電股份有限公司董事長兼執行長】

周小雯【高第公關顧問股份有限公司副總經理】

洪一峰

范可欽【匚合創意總經理】

胡志強【台中市市長】

馬英九【台北市市長】
唐江濤【更生團契桃園區主任委員】
孫越
陳文茜
陳郁秀【前文建會主委・總統府國策顧問】
陶君亮【巨星造船公司董事長】
張國立【時報周刊社長兼總編輯】
黃世忠【前國防部作戰次長】
鄒麟【牧師】
廖正豪【前法務部長】
劉振盛【前台大生化研究所所長】
趙少康【飛碟電台董事長】
蕭恩信【東昇器材股份有限公司董事長】
蘇盈貴【立法委員】

【代序】

奇異恩典讓他成為新造的人

【台北市市長】 馬英九

從橫行市井的竹聯幫殺手，到慈眉善目的基督教牧師，這一段判若兩人的轉變，就是《收刀入鞘》一書的內容。

本書的男主角呂代豪牧師，青少年時曾經迷失過：他偷車、加入幫派、持械傷人、開應召站、暴力討債，生活在刀光劍影之中。他坐過牢，也逃過獄，六年裡換過十四個監獄及職訓總隊。讓他生長的五股鄉親當他是魚肉鄉里的兇神惡煞，他的父母也由傷心到絕望。

在呂代豪一步步地走向毀滅的時候，一股神奇的力量突然出現，使他幡然悔悟。一位充滿愛心又獨具慧眼的少女，在他的靈魂深處，看到善良的根苗依舊存在。她在一、兩年的時間裡，鍥而不捨地寫信給身陷囹圄的呂代豪，寫到第兩百五十封時，她的基督信仰終於感動他重新做人，浸洗入教，為自己以往所犯的過錯深深痛悔；到了第五百封信，則發展成一段深刻的愛情故事，兩人最後結為連理。

「愛」的力量讓原本高中都沒畢業的他，離開監獄後發憤向上。他不但學得一口流利的英、日語，還留學美國，拿到教育學碩士，並進入博士班研究，進而成為基督教拓荒宣教神學院的副院長。

就像「周處除三害」的故事一樣，呂代豪自覺虧欠鄉親太多，決定回故鄉傳道。起初，沒有人相信他會

改變。他受到譏笑、辱罵，吐口水、扔石頭，甚至還在傳道時，被老太太用棍子打出門，彷彿要把他們從前受到的欺凌統統再還給他。

但他堅定的向善意志並沒有改變，他承受一切懷疑與挫折，以持續的行動來證明，浪子一定會回頭。他做到了。如今，在五股，他已成為一位受人尊敬的牧師。

《聖經》〈哥林多後書〉第五章第十七節：「若有人在基督裡，他就是新造的人；舊事已過，都變成新的了」。《聖經》中及教會歷史上，我們看到許多人因著奇異的恩典，由惡返善，成為「新造的人」，如保羅、奧古斯丁……在這個行列裡，也有呂代豪牧師的身影。

現在，我樂於為這本《收刀入鞘》寫序，並鄭重向社會大眾推薦。呂牧師的傳奇故事，對受刑人、更生人、青少年朋友、家長、社會工作者及教會工作者，都饒富教育及激勵的意義。如同呂牧師所言：「只要是人，皆會犯錯，但悔改是人生的強力膠水，幾乎什麼都可以修補，更重要的是真心悔悟。」希望本書能喚醒仍然「持刀在手」、陷於罪惡深淵中的社會邊緣人，儘快「收刀入鞘」，讓我們給他們力量，使他們也能成為「新造的人」。

是為序。

【代序】人生是可以選擇的

【展茂光電董事長】余宗澤

每個人生命的歷程，看似偶然，卻又是必然。「從前種種都成今我」生命是在過程當中，不斷的選擇，一點一滴所累積成生命的已然成形。而我們也會在這個歷程當中，驚嘆於生命可能給我們的意外與喜悅——似乎山窮水盡，卻又柳暗花明。看呂代豪先生生命的轉折，實在是令人歎為觀止，讓人不得不相信：「浪子真的可以回頭」，一個好鬥逞勇的小男孩，居然成了耶穌福音的使者。每個人都需要從兒童開始成長，沒有人一開始就是成人，因此父母、親友、師長等等，便是我們學習成長的關鍵因子，也是我們生命中，作選擇的價值觀念形成的最重要環境。

人的一生，要「生計、生活、生命」三方面都照顧好，才算是圓滿。生計——是柴、米、油、鹽、醬、醋、茶，是求存的需要，也是我們從小念好書、考好試、得好成績、進好學校，為的是畢業後能找到好工作，賺多一點錢。第二方面是：生活——是精神的需要，是喜怒哀樂，是琴棋書畫，是詩詞歌賦，是修心養性，是人際關係，是成績單中不列入平均的操行分數。第二方面是：生命——是終極的關懷，是意義的活出，是心中深處的吶喊：我為什麼活著，我從哪裡來？我會往哪兒去？生命的終點之後呢？

人生像球賽，有上半場，有下半場，有中場休息，也有受傷暫停。球賽上半場沒打好，沒關係，中場休

息後，努力打好下半場。受傷暫停，沒關係，包紮休息可以走更遠的路。我們看到呂代豪先生似乎沒有打好人生的上半場，也受傷休息，但他沒氣餒，似乎進入下半場，因著上半場的落後，蓄積了能量，他正打著虎虎生風的下半場。

不知道你在人生的什麼階段，過得好不好，但是人生是可以選擇打一場好球的。在生計、生活及生命三方面，是可以也應該選擇平衡關注的，選擇堅持打好球，上半場打得好的，乘勝追擊；打不好的，只要打好下半場，那麼人生的下場就可以是——生計、生活、生命——能三「生」有幸，有個圓滿的一生。

祝福你，凱歌常唱，平安豐盛。

【代序】

你……來看

【立法委員】朱鳳芝

腓力找著拿但業，對他說：摩西在律法上所寫的和眾先知所記的那一位，我們遇見了，就是約瑟的兒子拿撒勒人耶穌。

拿但業對他說：拿撒勒還能出什麼好的嗎？腓力說：你來看！

《新約聖經》〈約翰福音〉一章四十五—四十六

在《聖經》裡，提到「來看」這兩個字，共有十九處的經文。其中在〈約翰福音〉第一章四十五節、四十六節，是最令人動容的描述。

耶穌有個叫腓力的門徒，想要向他的朋友拿但業介紹耶穌就是彌賽亞、就是救世主，而拿但業卻因為耶穌的出身是個木匠，出生地拿撒勒，在當時更是中東地區最有名的一個風化區，羅馬政府還派有重兵駐守維持治安，拿但業根本不相信彌賽亞、救世主會從這樣的地方出來，更不願相信耶穌在三十歲前還是個木匠，三十歲後就會變成彌賽亞、變成救世主了。

但是，拿但業那個頑固的朋友腓力，依然堅定的說：「你來看」。

時光飛逝，在耶穌受難死後復活升天的兩千多年後，拿但業的問題——「拿撒勒還能出什麼好的嗎？」依然困惑著很多人，這個耶穌真的有那麼好嗎？而腓力的答案，也依舊堅定有力的穿越時空回應著：「你……來看」。

呂代豪，一個幫派份子、一個殺人犯，台灣三十八個監獄就待過十四個監獄，進過綠島「犯罪博士班」的「實實在在的壞份子」。在六〇年代的台灣，就像八〇年代的陳進興一樣有名，混黑道的，不認識呂代豪三個字，恐怕都是比較早死的。

可是，呂代豪在二十六歲前是殺人犯，二十六歲後卻變成牧師，拿刀的手變成了拿《聖經》的手，甚至遠赴美國攻讀真正的教育學博士！到底發生什麼事？誰會相信他能改過自新呢？或許拿但業生在今天的台灣，也會質疑：「呂代豪能變好嗎？待過綠島監獄的，還能出什麼好的？」而頑固又有信心的腓力也依然會穿越時空的來回應著他的老朋友——「你……來看」。

來看呂代豪的書，你就會明白，其實耶穌基督的恩典隨時都在，白白的救恩，不必作些什麼特別的事來交換；不需要看身分與地位，也不必管財富有多少。耶穌的愛，是自由的、無負擔的。祂愛世人，更愛罪人。祂的愛，可以說是一種「瘋狂的愛」，在這裡舉兩個《聖經》的例子。

在《聖經》〈路加福音〉十五章裡描述一個浪子，要求爸爸分家產，好讓他出去。爸爸因為愛他，分了家產，他也如願出去放蕩與揮霍。幾年後，錢花光了，去替人放豬，餓到連豬吃的都想拿來吃，卻還沒有人願意給他。才猛然想起以前在家裡是過著口糧有餘，又有雇工任他使喚的生活，所以他想回家。但是，之前分家產時做的那麼絕，怎麼好意思就這樣回家？於是他想好了一篇「優美、婉轉、充滿懊悔」的言辭，希望能獲得爸爸的諒解而接納他。故事的結局是，他根本沒機會說那句「我錯了」，爸爸就已經把上好的袍子給

他穿上，把戒指戴在他指頭上，把鞋穿在他腳上，甚至宰了肥牛犢來慶賀。

另一個故事記載在〈約翰福音〉第八章，一個行淫被捉的女人，群眾拖著她到耶穌面前問：「我們該怎麼辦她？她在行淫的時候被捉。照摩西律法，我們該用石頭打死她。但是照羅馬的律法，我們又沒有權利這麼做，你說我們該怎麼辦？」耶穌並不理睬他們，彎著腰用指頭在地上畫字。他們還是不斷的問他，耶穌就直起腰來，說：「你們中間誰是沒有罪的，誰就可以先拿石頭打她。」接著我們就看到了一個有趣的畫面，他們聽見這話，就從老到少，一個一個的都出去了，只剩下耶穌一人，還有那婦人。耶穌就對她說：「沒有人定你的罪嗎？」她說：「主阿，沒有。」耶穌說：「我也不定你的罪。去吧，從此不要再犯罪了！」

以上兩個故事告訴我們一個事實，神的愛是自由的、是沒有負擔的。神從來不曾問我們是否懊悔自己的行為，也不曾要求我們表明改過向善的決心，像祂對那行淫的婦人一樣，兩千年前不曾要求，兩千年後一樣不會要求。只要我們站在祂的面前，單單接受祂那全然的愛，祂就可以表現的像那浪子的爸爸一樣，歡天喜地而且毫無尊嚴。

我想殺人犯呂代豪會變成呂代豪牧師，大概就是因為這個瘋狂的又全然的「愛」吧！

再把場景拉回到兩千年前的那一幕，拿但業雖然極力的反駁著腓力，認為拿撒勒不會有什麼偉人，但腓力依然熱情的邀請拿但業親自來看。其實這兩者都沒有交集，直到耶穌肯定拿但業是個心中沒有詭詐、有話直說的人，直到拿但業親自領受耶穌的愛，他就承認祂是彌賽亞。

鳳芝也邀請大家親自來看呂代豪牧師的生命，你也會相信，沒有不能點頭的頑石。也願上帝賜給各位讀者希望、信心與力量，面對生命中的各樣試煉！

二〇〇四、五、十　於立法院

目錄

呂代豪繪於給小玲的信第181封

【代序】

一、序曲——木柵大械鬥

月黑風高，人影幢幢，談判破裂，「殺」聲即出，兩方人馬立刻短兵相接，我揮動武士刀，見人就砍，……從這一刻開始，我清楚的知道了我的未來——想再回學校讀書，是不可能了；而家，我也不能再回去了。

二、步步沉淪

在軍人出身，位階至團長的父親的嚴格管教下，我的野性絲毫沒有受到任何約束，小學、初中、軍校、高中，我仗著一雙狠拳橫霸校園、鄰里，打架鬧事是家常便飯，隨著年齡越來越大，所能做的惡行就越來越多、越來越大，……

三、監獄風雲

一九七二年，我提早告別了學校生活，正式進入黑社會。賭場要債、偷車；四處躲藏、準備偷渡，……「想當國際殺手」是我最大的志願；「逃」是我唯一的選擇，然而，不論我如何的算計，牢房終究是我最終的歸處。

四、亡命天涯

為了爭取我要的自由，我選擇逃亡。九死一生地逃出了岩灣，繼續混黑道、闖江湖、龍蛇纏鬥……

呂代豪繪於給小玲的信第109封

呂代豪繪於給小玲的信第151封

一位難友的猝逝，再加上筱玲一封及時的信，讓我有了一百八十度的大轉變，我終於大澈大悟……以這嶄新的生命，告別了職訓隊！

七、重見天日

從忙碌的業務經理，到髮廊的老闆，再到賣魷魚羹的小販，重見天日之後，我努力的工作，努力的想讓自己事業有成，但，失敗卻如影隨行……

八、傳道生涯

我們奉派到我的故鄉五股去開拓教會，當初，被警方評為「魚肉鄉里，橫行

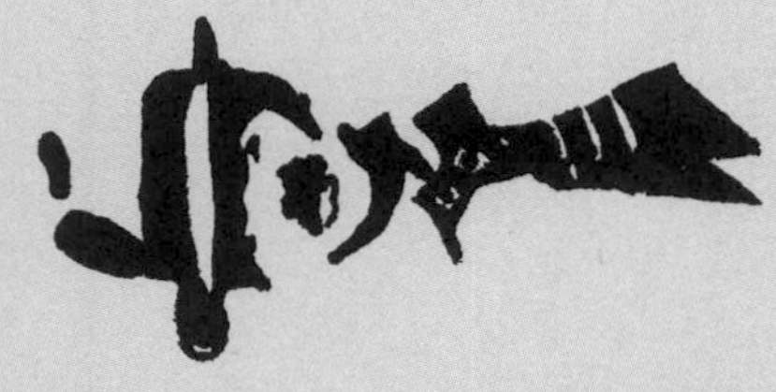

呂代豪繪於給小玲的信第276封

霸道」的我，如何面對鄉親父老？

【尾聲】——與魔鬼爭戰

歷經刀光血影和十幾個監所，我終於由黑社會殺手成為福音戰士、從強盜變成傳道！現在，我不再想過去的事情，也不再為這些錯誤懊悔。我只想到將來，好好把握餘生，為了愛我的主，與魔鬼爭戰。

【附錄一】——迴響

【附錄二】——五封書信

【附錄三】

Fragile Moments
... When God speaks in whispers
DonLee

呂代豪繪於給小玲的信第51封

一九五八年在軍校與同學合影。

【序曲】
——木柵大械鬥

月黑風高，人影幢幢，談判破裂，「殺」聲即出，兩方人馬立刻短兵相接，我揮動武士刀，見人就砍，……從這一刻開始，我清楚的知道了我的未來——想再回學校讀書，是不可能了；而家，我也不能再回去了。

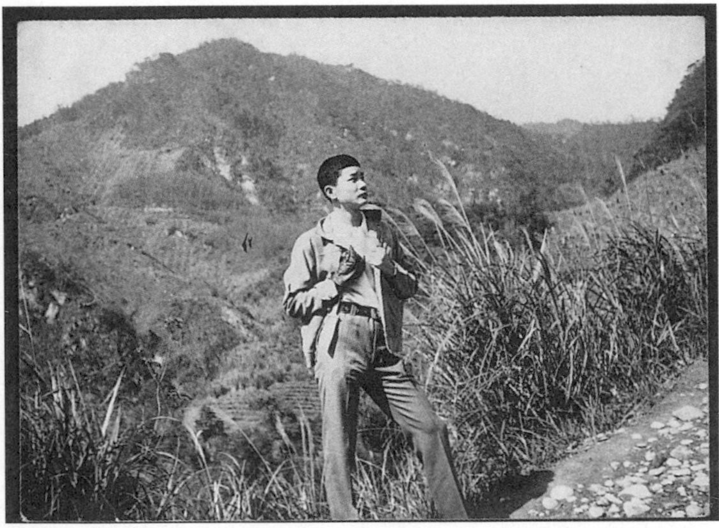

一九七一年與友人登山。

一九七二年，我十八歲，讀台北木柵私立東山高中二年級。那一天，我一走進政治大學對面的餐廳「小天地」，小政大幫的「柳點」（老大的意思）一看見我，馬上笑逐顏開地站起來，請我坐下。然後他點了幾個菜，要了些酒。

「有件事要請老兄幫個忙。」他收斂了笑容，很嚴肅地對我說。

「什麼忙？只要辦得到，絕無問題。」

「我們和藍鷹幫已經到了水火不容的地步……」他呷了一口酒說：「他們欺人太甚了，居然想要侵犯我們的地盤。前幾天，我剛和他們的『柳點』談過了，決定三天以後，在政大後面操場上舉行談判，如果談不成就要動干戈！」

血雨欲來怒滿膛

木柵政治大學旁邊有座道南橋，橋的北面是小政大幫的勢力範圍，南邊是藍鷹幫的地盤。自從台灣經濟日漸繁榮以來，黑社會的勢力也跟著一天天地龐大，大都市裡面，幫會猶如雨後春筍般到處林立，這些幫派最主要的收入來源，就是向在他們地盤裡的商店和餐館勒索保護費，也因此，為了擴大自己的地盤，幫派與幫派間便常發生為爭奪地盤而起的打鬥。這一點在地盤太過接近的小政大幫和藍鷹幫之間，更是常有的衝突。

當時在私立東山中學讀高中的我，個性好勇鬥狠，又是跆拳二段，根本就把打架當成嗜好，只要「路見不平」，就「拔刀相助」，無意中替小政大幫解決了不少的問題，因此，在同學游曉

楊的介紹下，我開始和小政大幫的一些人有了往來，常常在一起混，無形中早已成了小政大幫的「顧問」。

我問他：「照你看來，談妥的機會大不大？」

他噘著嘴，搖搖頭說：「他們是不會讓步的，我們更不會。」

「看來是非打不可了？」

「唔！」他把頭點了幾下。

「你們有多少人馬？」我問他。

「這就是我找你幫忙的原因。我們的實力並不比他們差，只是人少了一點。我們只有二十幾個人，他們卻有三十多個，而且個個心狠手辣，你能不能幫我調些人手？」

聽到又有扁拖(即打架)的機會，對三天不打人拳頭就會發癢的我來說，真刀真槍的大械鬥無疑是釋放我潛在嗜殺凶性的最好機會，於是，全身熱血沸騰的我毫不考慮的一口就答應了下來。

俗話說：「物以類聚。」在我的朋友之中，和我一樣喜歡打架的很多，因此很容易地我就找到了十位「志同道合」的人，隨即開始準備武器。

「工欲善其事，必先利其器」，小政大幫是以外省人為主，木柵藍鷹幫則是以本省人為主，本省人比較有錢，武器多、武士刀多，我們卻只弄到八把武士刀(這種刀多半都是日據時期日本軍人所遺留下來的，在台灣還有很多)，雖然有一些掃刀、番刀、扁鑽、標槍等等，但和他們比起來，光是武器就足足差了一半，為了怕武器不夠，以至於一開始就屈居弱勢，腦筋靈活的我立

刻想到最容易取得的「竹子」。

木柵政治大學後面是個河川地形，河川旁邊有很多的竹筍，有竹筍就有竹子，一把武士刀不過兩、三呎長，要價少說也要個幾千幾萬元，竹竿可就不同了，最普通的一枝竹竿少說也有七、八公尺高，而且，根本不要錢，在這麼有利的條件下，我便決定用「竹竿」來做我們主要的武器。首先，我帶大夥去後山砍了十枝約七、八尺長的竹子，將其中的一端用柴刀削尖，如此一來，這不起眼的竹子頓時就成了比武士刀還厲害的殺人工具了，因為它夠長，對方還沒走近，就可以把對方刺倒，之後，我又把以前在陸軍官校受過的劈刺訓練教會他們，這樣一來，我們的勝算就增加了不少。

最後就是實地演練了。

談判的地點在政大涼亭旁邊草地上，事前我便去勘察了地形，發現那片草地上有很多雜草可以做為掩蔽，是個絕佳的「戰鬥場地」，但，我們作為武器的竹子該怎麼擺呢？總不能光明正大的擺在地上吧？仔細的想了一下，我決定挖溝！挖一些足以把竹子藏在裡面的小溝。我們一共挖了十個約莫十公尺長，十公分深的溝，埋好竹子後，上面再蓋些草，因為僅有十公分深，所以一旦談判破裂時，我們可以很快的將預藏好的竹竿拿出來攻擊，對方勢必會措手不及的。

血影刀光，殺！殺！殺！

一九七二年的某一天晚上，也就是我承諾要幫忙的第三天，天色才剛轉暗，我便帶著這批已

然訓練好的兄弟，預先埋伏在堤防邊，個個嚴陣以待。

當晚月黑風高，晚上八點，雙方人馬到齊，黑暗中，只見到對面人影幢幢，勉強算算，對方竟來了三十多人，氣勢洶洶，我暗自慶幸，還好當初有先召來人馬，否則光是在人數上，我們就已減損了氣勢。當時，我一心只想快點衝上去，把對方痛扁一頓，完全沒有料到，這次的打鬥，竟比我想像的還激烈，而後果也遠遠的超過我的想像！

雙方老大先帶了幾個人上前談判，果然，不到十分鐘談判就宣告破裂，「殺」聲一出，兩方人馬立刻短兵相接，事先埋伏在堤防後面的我們也立刻一湧而出，拿出預先埋藏好的竹竿，以迅雷不及掩耳的速度，趁他們還沒來得及反應之前，朝他們的背後展開攻擊，俐落的劈刺動作，伴隨著一聲聲刺耳的吶喊聲，不一會兒工夫，他們就已經被我們殺得落花流水，許多人都中箭倒地！

眼看著他們陣腳已亂，我立即揮動武士刀，見人就砍，有的被砍倒在地；有的被磚頭砸破了頭；有的被刺得鮮血淋漓，眼看著藍鷹幫就要全軍覆沒了，就在我們越殺越起勁時，一陣「嗚……嗚……」的警笛聲從遠處傳來，我們立刻四散逃竄，現場只留下早已倒在血泊中，不住地呻吟的人。

慌忙的跑回宿舍，看著自己一身的血跡，彷彿像是剛由屠宰場裡出來一樣，驚魂甫定的我才驚覺到事情的嚴重性！剛才的那場打鬥，我們究竟砍傷了多少人？有多少人在混亂中死了？我曾聽人說，殺人是要被槍斃的，即使不被槍斃，少說也會被判個無期徒刑！天哪！這可怎麼辦？我

不想坐牢，更不要被槍斃，眼前只剩下一條路，那就是三十六計——走為上策！我匆匆的換下沾滿血漬的衣服，收拾了一些隨身的行李，便跑去之前一位曾一起混過的朋友家，熬過了最難熬的一個晚上。

好不容易等到天亮，我趕緊去買了一份報紙來看，才打開，「木柵政大涼亭血案」這幾個怵目驚心的大字立刻映入眼簾，標題邊的小字寫著——「五、六人被砍重傷，生命垂危，主嫌犯在逃，有數人被捕」，還不等看完報導，我已經清楚了我未來的命運，我不能再回學校上課，連回家也不可能了。

事後，我從朋友那裡得知小政大幫有些人已經被逮捕，並且供出參與犯案的人名，當然，我的名字也在裡面。從此，我成了通緝犯，開始了暗無天日的黑道生涯。

軍校二年級攝。

父親寫字時的神情。

步步沉淪

在軍人出身，位階至團長的父親的嚴格管教下，我的野性絲毫沒有受到任何約束，小學、初中、軍校、高中，我仗著一雙狠拳橫霸校園、鄰里，打架鬧事是家常便飯，隨著年齡越來越大，所能做的惡行就越來越多、越來越大，……

參加陸官運動大會。

嚴格的管教

一九五四年八月三十日，我出生在台灣省新竹縣新豐鄉的一個村子，我排行老二，有一個姊姊、一個弟弟和一個妹妹。

我的父親，人長得又高又帥，是黃埔軍校十九期出身的軍人，當時他是連長，在我小學時，父親升了團長，在父親當團長的時候，不但有傳令兵，還有司機與吉普車，軍服上還有好幾顆亮晶晶的梅花，可真是風光！那時，因為他們團剛好在新竹地區駐防，小小年紀的我還常常進出團區呢。記憶中父親有大概六、七年的時間在金門駐防，後來他擔心常搬家影響子女學業，才申請轉到陸軍總司令部任職高級參謀。

但是，因為他上班地方在台北，我們家在新竹鄉下，坐車要五個小時，所以他只能每個星期六回來，星期天又得趕回去。

小時候，父親管得很嚴，每個星期六，他一回到家，就會交代我一些功課，等到第二個星期六他回來的時候，就要背給他聽，舉凡是學校裡的功課裡較重要的部分，他都會要我背。然而，那時候的我貪玩得很，哪裡背得了那麼多的功課？

記得在我小學五年級的時候，有一回他要我背歷史課本中的一課，但那一課實在太長了，我沒能背得出來，他氣極了，便要求我當天無論如何都得背出來，否則就不能睡覺！那時已經是晚上十點多，全家都已經睡了，我一個人坐在沙發上反覆的背著，可能是因為太倦的緣故，背著背

著便靠在沙發上打起瞌睡來了，迷迷糊糊中，我被父親的一巴掌打醒，我抬頭看看壁上的鐘指著三點，我不知道自己睡了多久，只聽到父親嚴厲的對我說：「叫你坐著背，你不好好背，你給我跪著背！」

沒有任何申辯的空間，我被罰跪著背書，跪在哪裡呢？我們家有一個供奉祖宗神位的地方，父親就是叫我跪在祖宗的牌位前繼續背。

我跪在地上，一面背、一面哭，心裡萬分地痛恨父親，不知道哭了多久，或許是哭累了，也或許是發現哭也要背，笑也要背，無論怎麼樣，都還是要背，於是我抹乾了眼淚，集中精神，拚命地背，這才總算是把書背好了。

書背好了以後，我立刻跑到父親床前，把他搖醒，「爸，我會背了。」父親睜開眼睛，接過我手上的書，耐心的聽我背完後對我說：「欸，很好，你可以回去睡覺。」

其實，雖然看起來父親的方式有些嚴苛，但卻也因為如此，讓我累積了不少的知識。當時我們家在海邊，附近有個堤防，因為空氣好，父親常一大早就在海邊堤防走來走去讀古文，而我就跟在他旁邊背書，當時我才小學四年級，十多歲，對書裡寫的意思根本不懂，不過，這麼背呀背的，即便是我現在已經五十歲了，小時候背的那些東西，有很多還清清楚楚的印在腦海裡，不曾忘記。比如說李密的〈陳情表〉、諸葛亮的〈出師表〉，還有袁枚的〈祭妹文〉、賈誼的〈過秦論〉、李斯的〈諫逐客書〉，或者〈滑稽列傳〉、〈游俠列傳〉等文章，這對我後來寫文章，多少有加分的作用。

由於從小在海邊長大的關係，我非常擅長游泳，但小我三歲的弟弟子英可就不同了，他不但完全不會游泳，膽子又小，還記得有一年夏天，我和弟弟在池塘裡一起抓魚，當時天氣很熱，在池塘邊的弟弟，看我在水裡玩得很高興，也想下來玩，於是，他脫了衣服，只穿著短褲，就走下池塘，沒想到一不小心，就跌進了池塘裡，那時他才六歲，水塘卻足足有三公尺深，不一會兒工夫，他就不見了。

事情發生得太快，看到這一幕的人都嚇了一跳，我更是緊張死了！池塘的水並不清澈，一時之間根本看不清楚人在哪裡，我只能趕緊朝他跌倒的地方游去，並潛到水裡，胡亂的抓著、撈著，幸好，沒多久，我就抓到他了，可能是因為害怕，他也緊緊地抓著我，還好，他落水的地方離岸邊很近，我雖然被他抓得幾乎無法動彈，但還能掙扎著往岸邊靠去。

好不容易回到岸上，弟弟因為喝了太多水，一直吐，嗆個半死，也嚇個半死，我怕他回去告狀，一邊安慰他，一邊又不停的拜託他，希望他能夠當沒事一樣，回去後千萬千萬不要講。前後折騰了將近一個多鐘頭，他慢慢的平靜了，我才牽著他的手回家。

那天好像是禮拜六，因為回家的時間比平常晚，一星期回來一次的父親和母親早就在門口等著了，我老遠看到父親，便趕緊對弟弟說：「子英，你記得等一下什麼都不要講喔，不然你小心點，看我怎麼修理你！」然而，即便是我千交代萬叮囑的，驚魂甫定的弟弟還是在看到站在門口的父母親的那一剎那，哇地一聲哭了出來：「媽，我剛剛差一點淹死了。」我知道，這下慘了！

母親一聽，立刻問我們怎麼回事？弟弟一邊哭，一邊說：「我剛才掉進池塘，咕嚕咕嚕喝了

好多水，還好哥哥救我……」但我母親可一點也沒有把我救了弟弟的這回事聽進去，弟弟根本還沒有說完，她的臉色早已經大變，轉身就叫我父親把我緊緊抓住，隨手拿起棍子就往我身上抽。母親一向疼我，很少這麼用力打我，如今卻為了她的寶貝小兒子差點淹死，痛打我一頓，我怎麼想就怎麼的不能平衡。好不容易打完了，我回到房間裡放聲大哭。

不知道哭了多久，我聽到父親進來的聲音，我知道他是要來安慰我的，但我根本不想理他，因為剛才若不是他緊緊的抓住我，我就可以跑掉，自然就不會被打得這麼痛了，現在我已經被打了，他才進來假惺惺的安慰有什麼用？父親看我沒理他，便走了過來，一把把我抱住，輕輕的摸著我的頭，什麼話也沒有說，突然，我感覺到我的頭上有點濕濕的，我抬起頭來一看，竟發現我父親在掉眼淚，當時的我怎麼也不能懂他掉淚的原因，痛是痛在我的身上，又不是他，他哭什麼呢？一直到後來我長大了，做了父親以後，我才漸漸的了解了他的心情。

人小鬼大

至於我的母親，也是來頭不小的，而且，由於父親是軍人不常在家的關係，母親對我的影響可以說比父親還大。她是世界上最大、組織最嚴密的華人幫派——洪門的四大姊。

在我小時候的印象中，家裡經常是熱鬧的，那時母親才三十出頭，經常在家裡擺設麻將桌、開賭場，不是麻將就是四色牌，根本就是以「賭」為業，這樣的背景，不只是對我，就連父親，也產生了極大且極負面的影響。原先，以我父親的學歷與經歷，甚至表現來看，是很有可能能升

為將軍的，但因常有人去密報檢舉母親開設的賭場，且還被抓到兩次，導致父親遲遲無法升官。

父親雖然對我十分嚴格，母親卻相當地放任我，但畢竟父親一星期只回家一次，時間又只有一天半，我只要在他回來之前，把該背的全背好，待他回來之後應付他一下就好，大部分的時間，家裡就只有母親在，而她也總是在打牌，從小就有點小聰明的我十分明白，只要她在打牌時我去煩她，她就會拿個一塊錢、五毛錢來打發我：「去去去！不要吵、不要吵、不要吵！」那時五毛、一塊可是很大的錢哪！可以買很多我喜歡的東西，更可以買很多糖果來請朋友們吃，這些糖果足足讓我成為「孩子王」。

我好交朋友、喜歡做領導者，在我小學的時候，我就找了七個志同道合的兄弟，大家不但在功課上互相學習，就連在打架鬧事上也互相砥礪。我還記得結拜那天，我們七個人跑到海邊、面向大海跪下，發誓互相照顧、兩肋插刀，友情生死不渝！立下誓言後，大家向天地磕頭，我放在沙土上的手，居然一把摸起一串珍珠，拿起一數，不多不少剛好正是七顆珍珠，小時候的我們都以為那是天意，為此震驚不已。

當然，我會成為「孩子王」還有另外一個很重要的原因，那就是從小我就崇尚暴力。在我還很小的時候，我就告訴自己：「打架一定就要打贏。」所以動不動就想學功夫、學武術，因為我覺得，這是一個弱肉強食的世界，倘若沒有一點拳腳功夫，很難不被人家欺負。再加上母親和父親的教育方式完全不同，且他們兩個人的感情也不融洽，父親受的是儒家的教育，凡事都以儒家思想為依歸，母親就不同了，她從不反對我和別人打架，甚至對我說：「打贏了才回家，打輸了

就不要回來。」

當時，只要父親一不在家，我就和附近一帶的小孩子成群結黨地混在一起，由我帶頭，在外邊打架、偷東西、摘別人家的水果、挖別人的地瓜吃，或是跑到海邊去游泳。母親忙著打牌，父親又不常回家，在這種環境裡面長大，不但使得我的性情越來越暴烈，喜歡打架，更讓我養成了個人英雄主義。

橫行鄉里

小學畢業後，我們舉家遷到全台灣最大的一個眷村——台北五股鄉的陸光一村，同時我也考上了第一志願——三重中學，那個學校離我家有六、七公里的路程，每天要搭公路局客運去上課。

這時的父親已由陸軍退役，和別人合夥開辦一家電影公司，由於拍片工作忙碌，且全省各地都要跑，以至於他回家的時間更少。這段時間，也是我真正學壞的開始，以前雖然不懂事，但再怎麼壞也都還有個限度，隨著年齡增加，接觸面更廣，也就更深陷淤泥了。

初中時的我，每天和村中的一個「大哥」(外號叫小六子)混在一起，他大我十多歲，學得一手好的中國功夫，有虎拳，也有少林拳，每次看他打拳打得虎虎生風、痛快有勁，真是教我羨慕得不得了，於是我忍不住請他教我，每天一放學，就和他在村子後面的空地上學打拳，我學得很起勁，而且進步很快。

陸光一村是全台灣數一數二的大眷村，村子裡大約有八百戶人家，小孩子很多，搬進去沒多久，我便組織了一個幫派叫做「虎威幫」，成員有三、四十個，我自己當老大，只要幫裡面有人被欺侮了，我便帶人堵在學校門口，伺機給那個人一點教訓，就這樣，天天在學校裡找人麻煩、打架鬧事，就是我初中的日子。

除了打架鬧事以外，幫裡的成員也跟我學功夫，學一學就找人家打架練習。那時候我們製造了一種玩具彈簧槍，把前端有鐵尖的標槍放在槍管裡，利用彈簧原理射出，可別小看這種武器，因為它的前端很尖，所以被射到的人可是會受很重的傷的。我身旁的兩個「護衛」每天都把它掛在身上，遇上什麼不順眼的，就會拔「槍」出來「解決」，村子裡的小孩子都敢怒不敢言。

舉個例子來說，我們村子後面有一個小小的水塘，一到夏天，小孩子們都喜歡到那裡去玩水、游泳。

有一次，我帶著兩個護衛去游泳，池子裡的人老遠看到我們來，都各自跑開了，只剩下一個我沒有見過的初二學生還留在池塘裡，原來他是外地來的，根本不認識我們。

到了岸邊，我看他還沒有要走開的意思，就命令一個護衛去趕他，只見護衛惡狠狠的走向他，並對他說：「還不快上來！我們老大要游泳。」

出乎我們預料的，他竟朝我們瞪了一眼說：「我為什麼要上去？」絲毫沒有要離開的意思。

我立刻又向另一個名叫王銀靖的護衛使了一個眼色，要他拿著「武器」去嚇嚇那孩子，我對王銀靖說：「克切！」那是我們之間的暗語，意思是叫他不要動手，誰知王銀靖竟然沒聽清楚，

他二話不說跳下池塘，拿起玩具槍就朝那孩子一槍射去。玩具槍的威力雖然不大，但由於距離那孩子不到一公尺，木桿前端的鐵尖頭立刻就插進了他的喉嚨，我大吃一驚，馬上跳進池塘，將木桿從那孩子頸上拔出來，但他早已經血流如注了。後來他被送到醫院去，還好沒有生命危險。父親回家後，當然把我痛打了一頓。

類似這樣的事情，在那個年紀裡，層出不窮，小小年紀的我便已成了警察局裡的常客了。

轉學到新莊

我在三重中學讀書時，因為老是打架鬧事，每次父親回來，我總免不了會挨打、挨罵，為了不想再被打，我就決定和兩個一樣不喜歡唸書的同學離家出走，出走前，還先寫了一封告別書給父親，敘述我離家的原因，洋洋灑灑好幾大張，寫得是言語懇切、痛快淋漓，只是沒想到，這封信在我還沒有離開家以前，就被弟弟、妹妹發現跑去告訴父親，結果當然又是一頓好打。但，事隔沒多久，我還是離家出走了。

離家出走的我們本來的計畫是要去阿里山上賣冰棒，為什麼選擇阿里山？因為感覺上阿里山是崇山峻嶺，想必山上應該有很多武林高手隱居其中，如果去那裡，或許一方面可以拜師學藝，另一方面還有機會和各路豪傑切磋武術，然而，真的到了阿里山才發現，完全不是那麼回事！不但根本沒有人知道哪裡有功夫高手，就連想要賣冰棒的可能性也沒有，因為阿里山上比較冷，誰會想在寒天裡吃冰棒呢？於是，玩了幾天以後，只好下山另尋其他的地方。

第一個武林豪傑夢碎了以後，我想到了以前露營郊遊時，曾在上游的小水潭游泳的外雙溪，我依稀記得當時我曾經發現附近有個廢棄的碉堡，決定了之後，我們一票人就「移師」那裡，果真碉堡還在，當時，我們真是興奮極了，幾個人合作把那裡整理了一番，隨便弄個草蓆、打個地舖，「祕密基地」就成形了。

每天我們什麼事也不幹，不是游泳、釣魚就是去偷摘水果來吃，生活簡直跟度假沒兩樣，就這麼愜意的過了兩個禮拜，直到我朋友因為想家，而打了電話回去，這才洩露了我們的行蹤，沒多久，我就被父親帶回去了。

回家後，父親急著要讓我回學校上學，但由於我已經三週沒有上課，無論如何學校都不肯讓我繼續讀書，雖然父親一再的跑去交涉，但學校仍然堅持立場，指稱我已經不適合在三重中學，建議我父親讓我改變一下環境，父親無奈的接受了學校的建議，拿著學校發給我的轉學證書，安排我到新莊中學去。

那是二年級下學期的事了，我被轉到新莊中學專門收轉學生的二年十一班，班上大都是從其他學校轉來因調皮搗蛋而被退學的學生，什麼神州幫、鐵漢幫、板橋幫的都有，整個班級沒有幾個人是真正來讀書的，所以不被其他班級的人接納，自然而然的形成一個小團體，專門去對付其他班級的學生。

也不知道是不是刻意的安排，二年十一班剛好位在校園最偏僻的一角，同時也是最後的一個班級，老師、教官都很少過來，因此，我們都戲稱那是「海角一樂園」。在教室旁邊有一塊很大

的空地，自然而然成了我們打拳、練拳、打架的地方，只要誰看誰不順眼，或是誰又不服誰，就找齊人馬到空地單挑，那時我就常找人到後面打架，而且每一次都打贏，感覺很好。

初中快畢業時，家人問我將來的計畫，我能有什麼計畫？除了打架和鬧事，以及滿腦子的英雄主義外，我根本沒有什麼計畫，於是父親要我去報考陸軍官校的預備學生班。父親送我去陸軍官校的主要目的，是因為他沒時間管教我，他認為軍校嚴格，一定可以把我管得服服貼貼。

抗命專家

一九六九年我懷著興奮的心情進入鳳山陸軍官校預備學生班，我很高興能夠離開家，一個人出來闖天下，再也不必每天看父親嚴厲的臉色，人生沒有比這更令人愉快的事了。

我就讀預備學生班第十四期，每天的課程不外是鍛鍊身體以及教授戰術和跆拳，其中，我對跆拳和拳擊兩門課特別的情有獨鍾，每天一下課就在操場上苦練、在健身房裡打沙袋、砍磚頭，這使我的跆拳進步得很快，升上三年級的時候，我的跆拳也已經升到二段了。

陸軍官校位於高雄鳳山，校區廣大，一共分為三個區。第一區是正期學生班，和學生指揮部，簡稱為「學指部」，由一年級到四年級的學生所組成；第二區是預備學生班，畢業之後直升正期班；第三區是專修學生班，他們都是高中畢業生，只讀一年就可以畢業，出來就是少尉，而我們呢，卻要在預備班唸三年、正期班唸四年，才能夠畢業，而且陸軍官校注重學長制，學弟見到學長一律要敬禮，學長的命令也一律要服從，最主要的是，官校裡還流傳著類似美國西點軍校

的口號：「合理是訓練，不合理是磨練」，也就是說，學長可以處罰我們，我們卻不能申辯，這許許多多的不公平在官校裡隨處可見，所以彼此處得很不好，時常有事情發生。

一開始，我雖然喜好暴力，但由於勢孤力單，也發不出威力來，直到我陸續結交了一些朋友，成立了一個小團體，勢力自然就開始漸漸的擴散開來了，那時，如果學長處罰我們，我們就會把他們約到黃埔湖邊去決鬥，久而久之，有越來越多人知道呂代豪是最會抗命的人，我的名氣也就一天天地響亮了。

官校的規定是很嚴格的，舉例來說，像是學校規定不准抽菸，抽菸的人要受處罰，可是，我們中間大多數的人都喜歡抽菸，每天晚飯後，我常常和兩位同期好友去校區南方大廣場上聊天、吸菸。每次去那裡，都發現有不少不同年級的同學，圍成一個圓圈，席地而坐，人數約十五上下，不知道是在做些什麼。最初我們也不去注意，過了一個月，我開始有點好奇，就走過去聽聽他們在談些什麼，只見他們個個都低著頭，一直喊著「哈利路亞，阿門」。「哈利路亞」我不懂，但「阿門」至少我聽過，原來他們是在禱告。那時候我對基督教的團契一點都不了解，總覺得他們吃撐了，沒事幹，無聊得很。

有架打啦！

在讀軍校的那段期間，每回放假回家，我就會找和我差不多年齡的鄰居們一起打彈子、打麻將，或是迫不及待的把在軍校裡學的跆拳發揮出來，四處找人打架鬧事，彷彿沒用出來會可惜了

似的。

一天，我在家裡看電視，弟弟子英突然哭哭啼啼地跑回來找我，我還來不及安慰他，就看到他的一隻眼睛上有一大片瘀青，腫得不像話，我嚇了一跳，趕忙問他是怎麼回事，他一邊哭，一邊對我說，他在打籃球時遇到村子裡一個年齡和我相仿叫何正中的和他搶球，他不讓，於是兩個人就發生了爭執，不料那個叫何正中的竟然將他一拳打倒在地……這還得了！我不等他說完，立刻拉著他趕到籃球場上，我到的時候，何正中還在那裡打球，於是，我二話不說，把他抓到一邊，一個過肩摔把他摔倒在地上，然後用腳踩他的臉，踩到他滿臉都是血才停下來。

氣，是替弟弟出了，但事情卻還沒有結束。何正中的父親也是軍人，當天晚上他父親就帶著他到我家興師問罪。

他父親對我父親說：「你看看，你兒子把我兒子打成這個樣子！」

父親為了息事寧人，只好道歉了事，好不容易送走他們，父親立刻把原先想從後門溜走的我抓回來，但這時候的我已經長大了，不但身高有將近一米八，體格也很壯碩，他不能再像以前那樣打我，所以只能痛罵我一頓，而我呢？自然是「左耳進，右耳出」。絲毫不起作用，仍然一天到晚和人打架、逞兇鬥狠。

還記得有一次，正好中華少棒隊在美國威廉波特和洋人爭奪冠軍，人人都熬夜專心的看著電視轉播，突然我聽到有人在外面喊著：「有架打啦！有架打啦！」我一聽，立刻精神都來了，趕緊衝出去一問，原來是我們村子裡的益大紡織廠，廠裡的工人帶了十幾個女孩子到村後的山上

去，不知道要做什麼！我想這還了得，立即召集了八、九個人往後山追去。

那時已經是午夜兩點多了，我們拿棍子、木板、石頭把他們打得落花流水，在慌亂中，有人連滾帶爬地跑下山去打電話報警，不過，等警察到的時候，我們早已經溜之大吉了，而且茫茫黑夜裡，他們也看不出來我們是誰，自然拿我們一點辦法也沒有。

像這樣的事情層出不窮，警察局對我很頭痛，再加上我們家人事背景良好，所以只能夠睜一隻眼，閉一隻眼，但就在我要升三年級的那年，因為在軍校裡結夥打架，把幾個人打成了重傷，事情一鬧大，軍校再也容不下我了，最後，校方以我一而再、再而三的犯錯毫無悔意，學校已經無法留我為由，將我退學。

於是，我收拾了行李，離開了軍校。

輾轉各校

因為我是被學校勒令退學，沒有軍校的學籍，想讀書，勢必就得重考！很幸運，我還有些底子，在沒有準備的情形下，居然考取了省立板橋中學，就讀高中一年十三班。

四十三年次的我，進到板中的時候，不但年齡比同學大了兩歲，思想上各方面也都比同齡的同學成熟，甚至連個頭也比一般同學高出許多，初中畢業的時候，我才一五九公分，軍校二年級的時候長到一七八公分，等到板中我已經一八〇公分，再加上一進學校不久，學校舉辦了拳擊比賽，高一、高二、高三的同學都前來參加，曾經參加大專運動會拳擊比賽，得過中甲級冠軍的我

打遍全校，沒有遇到一個敵手，這樣的「英名」很快的傳遍全校，得意忘形的我自然很快的備受矚目，並且倚仗著這個優勢，招收了十六個要好的同學，組成了一個勢力強大的幫派。

在板中，我除了參加拳擊社當社長，指導人家打拳之外，也喜歡參加舞會。有一回，有人邀我們去一個國大代表的兒子的家裡開聖誕舞會，每一個人都事先繳了錢的，到了舞會當天，我帶著當時的女朋友，還有朋友們，總共四、五對年輕人一塊兒去，不料卻吃了個閉門羹，只見他家裡門窗緊閉，根本一點開舞會的氣氛都沒有。原來，那個國大代表的兒子犯了案，警察正在通緝他，所以舞會就臨時取消了。

但人都已經來了，尤其我還帶著女友及朋友，這樣走人實在太沒面子了，我便當場在門口發起脾氣來，也許是我在門口叫囂的音量太大，沒多久，原先緊閉的門突然打了開來，一個人走了出來，他安撫我們說，如果我們真的想參加舞會，他知道在總統府旁邊的一個四星上將的家裡剛好在今天也有舞會，於是，我們便立即趕往那個四星上將的家。

那真是個令人難忘的舞會。由於那天四星上將和夫人都到國外去度假，他的兒子便在家裡開起了聖誕舞會，屋子是西式的裝潢，有舒適的大沙發，華麗的水晶吊燈，還有穿著制服的服務生，吃的是西式自助餐，有許多我們從未吃過的山珍海味，簡直就像在外國電影裡看到的場景。我擁著女友翩翩起舞，愉快極了。

舞會過後幾天，那個國大代表兒子的朋友一個叫小米、一個叫大媽，也是板中的學生，來找我們要錢，他說我們舞會交的錢不夠，因為舞會的地點變成了高檔的四星上將家裡，因此要補差

額。

其實我清楚得很，四星上將的兒子不可能找我們要錢，這根本就是他們自己想弄點錢來花花的惡劣行為。我氣得一腳就把小米踹在地上，並警告他，要他少來這一套！說完我轉身就走。

第三天，他們班上來了四個人找我到外面去「談」，一到外面我才知道，根本不只四個人，小米、大媽和另外兩個他的同學早就等在那裡了。我一看對方來勢洶洶，知道他們可能不會善罷甘休，我便做好了火拚的準備。還不等他們動手，我就一腳踹向大媽的陰部，他痛得彎下身來；幾乎是同一個時間，我再用右拳打左邊的小米，一拳打在他的左眼上，他幾乎痛昏過去！單單三秒鐘我解決了兩個，然後再一個側踢，第三個人被我一腳踢個正著，跌個四腳朝天。三拳三個人就倒下去。另外一個我回過頭面向他的時候，他居然拔腿跑掉了。在我先發制人的攻勢下，我得以全身而退。

又過了幾天，他們的老大出現了，他是西門町的老大，組成一個幫派常常在各處鬧事、恐嚇勒索無所不為，他來找我談判，沒想到那天我們談一談，反而變成了朋友，後來他因搶劫犯案，被警察逮捕，當時的他還是少年犯，所以沒有判死刑，只判了無期徒刑，送到新竹少年監獄去。很多年後，我有一回到少年監獄去佈道時看到他，我們談了很多，他也決心悔改，在監獄的立德補校苦讀，最後考上了台灣大學，不過，這又是另一個浪子回頭的真實故事了。

我在板橋中學還沒讀完第二個學期，就已經被記了兩個大過、兩個小過和兩個警告，再一個警告，就要被開除了。我看情形不對，就找幾個結拜兄弟插班外校，有兩位考上省立嘉義中學，

我則考取省立新竹中學，但我嫌新竹太遠，沒有台北好玩，就經人介紹插班到木柵的東山中學去，這是個新成立不久的高中，校長雷永泰辦校非常認真，而我是公立高中的轉學生，所以去的時候很被師長看重。我的國文老師是王拓，後來成了民進黨有名的立委，他的文學底子很好，上課幽默風趣，給我的幫助很大。

在東山的頭幾個月我還算安分守己，後來又從師大附中轉來一個學生，他平時沉默寡言，很少和人交談，但我對他卻十分的好奇，我想，師大附中那麼好，他為什麼要轉學過來呢？於是，第二天下課，我就去找他聊天，沒想到這一聊，竟又扯上了關係。

這位同學叫鄒鼎，長得很清秀、腦筋靈活、聰明絕頂，我們特別談得來，在師大附中，他有一個好朋友，名叫戴嘉龍，正是我的結拜兄弟。當戴嘉龍知道他要轉學來東山的時候，就把他介紹給我，請我照顧。除了他以外，我又認識了幾個人，其中一個叫游曉楊，家住木柵，是當地有名的小政大幫的成員，也因為他，我和小政大幫有了聯繫。

木柵離我們家比較遠，必須住校，可是我不願意住校，覺得太受拘束，就在政治大學旁邊找房子住。那時候，我的跆拳已由初段升為二段了，當時國內跆拳還不怎麼盛行，二段的人很少，我在幾家道館教拳擊和跆拳，賺點外快。由於我出拳快、狠、準，而且教學法新穎實用，頗有實戰經驗，所以學生很多，漸漸形成一個團體。曉楊將我介紹給他們的柳點(老大)，我們談得很投機，這就是木柵政大涼亭血案的起源。

一九六〇年三月二十九日攝於校史館前。

監獄風雲

一九七二年，我提早告別了學校生活，正式進入黑社會。賭場要債、偷車；四處躲藏、準備偷渡，……「想當國際殺手」是我最大的志願；「逃」是我唯一的選擇，然而，不論我如何的算計，牢房終究是我最終的歸處。

一九六九年攝於陸軍官黃埔紀念塔。

正式進入黑社會

一九七二年，高二沒唸完我就離開了東山高中，而且，不但和學校說再見，就連家裡都無法再待下去，我開始過著流亡的生活，再也沒有機會在正式的教育體制下求學，進入了另一個世界。在這裡，並不需要什麼一技之長，所需要的，就是我所學的跆拳和一股好勇鬥狠的凶勁。

我跑到飛鷹幫的老大青龍家裡去住，正式拜堂成為飛鷹幫的一員，他們安排我在中山北路一家廈門酒吧裡當保鏢。飛鷹幫在羅斯福路、中山北路、民權東路、敦化南路都有賭場。開始的時候，他們每個月從賭場裡拿些錢給我；因為我花錢花得快，這點錢不夠我花，於是他們就派我出去要賭債。要賭債不是件容易的事情，要心狠手辣，而且迅速俐落。

在賭場裡賭博的人，都是些商家和生意人，他們去賭場賭博，目的是想撈錢。可是賭場並不是個撈錢的地方，只是個丟錢的地方；往往一個晚上就會有數百萬的輸贏，錢沒撈到，反欠了一身的賭債。他們輸了錢，手頭上不會有那麼多現款，就開出支票；這些人回去之後，往往越想越氣，認為輸錢是有人在搞鬼詐騙，所以開出來的支票經常有空頭不能兌現的。

開賭場在台灣是違法的，所以也不能照一般法律上的手續，去向他們要債；但是賭場老闆也自有一套辦法，教你賴也賴不掉。他們會派三、五個人，拿著這些票子，去那些人的公司或家裡向他們要。我們並不直接追到他們家裡面。因為怕他們去報警，告我們勒索或搶劫。我們多半是躲在那個人家附近，有時要等上一天，因為對方會想盡辦法躲我們；當看見他回來，就把他帶到

車上或山上，逼他還錢。若他推拖不還，我們不是在他的肚子上打上幾拳，不然就是在他的腿上刺上個一、兩刀，非把他嚇得跪地求饒，立刻設法還錢不可。

通常一百二十萬的債，能要得到七、八成就算不錯了，這樣大約有九十多萬左右。在九十多萬當中，賭場老闆可以拿六成，我們拿四成，每人可以分到六、七萬。一天只要能要到一筆債，就吃喝不盡了，無怪乎黑社會的人，許多都是開進口汽車、戴勞力士錶，出入夜總會和酒家。我那時候還沒有坐過牢，不知道犯法的嚴重性；心裡想，反正已經是個通緝犯，再多犯一、兩個案子，也沒有關係。所以我在青龍手下那段時間，可以說是窮凶惡極，無所不為。可是好景不常，警察當局對幫派越來越注意，有一次來一個鐵腕大突擊，實施所謂「捕鼠專案」行動，幾個大賭場都先後被破獲，青龍也落網，被送到苦窯(監獄)裡去。我們這些小嘍囉，也各自做鳥獸散。我看苗頭不對，就和戴嘉龍由台北逃到台中。

在台中，我遇到一個過去在陸軍官校的同學林頌年，這個人因行為不檢被軍校開除，但他頭腦很聰明，而且能畫一手好畫。當時我手頭上還有一點錢，所以就在台中過了一段日子；後來因想要有一輛機車當交通工具，錢又快花完了，買不起，林頌年說他有辦法。原來他會製造一種萬能鑰匙，可以打開任何機車，我就請他幫幫忙，替我去弄兩輛機車來。他借了些工具，製造出一把萬能鑰匙。一天，我跟他一起去台中公園，偷了一輛山葉一百五十西西和一輛鈴木三百五十西西的重型車；我和戴嘉龍就一人騎一輛，離開了台中。

那時覺得再也無法在台灣待下去了，因台灣地方不大，是個海島，法律是那麼的嚴密，即使

是三頭六臂，也休想永遠逍遙法外，總有落網的一天，倒不如想辦法偷渡到海外去，另闢新天地，於是我就和戴嘉龍商量好，決定偷渡香港。

我們先到嘉義，那裡有我兩個過去在省立板中的同班同學也是拜把兄弟陳一鳴和李可仁，他們後來插班到省立嘉義中學。那天晚上，我們在一起吃飯、聊天，我告訴他們，我們第二天要南下，他們就連課都不想上，要和我們一起去環島旅行。我甚至對他們說，我們是要想辦法在高雄找船偷渡出海，他們還是願意跟我們一起去南部走走。

於是，我們四個人一起南下，經台南到高雄，再由高雄到旗山，去東港碼頭找過去一個熟識的船員接頭，想辦法出海，但問了偷渡的價錢後才發現，以當時我們的狀況來說，身上根本拿不出這筆錢，考慮再三，決定還是得先回台北去想辦法弄點錢；何況這次偷渡，說不定永遠都回不來了，應該先回家看看。

我們離開旗山，到了嘉義之後，陳一鳴就說：「你們既然都要出國，車子留在這裡也沒用，可否送給我們兩個人？」

我想想，也好，這兩輛機車是偷來的，留在身邊就是禍，不如早早打發掉的好。於是就把兩輛機車交給他們，改搭火車去台中，晚上住在林頌年的家裡。

上天無梯、下地無門

那天晚上，我們吃過晚飯，出去看了一場電影之後，戴嘉龍說他有事情要先回去，我就在街

上轉了一圈，買了點東西，打幾個電話；快到林頌年家門口的時候，就覺得有點不大對勁。我發現巷子裡有幾個陌生人，雖是工人打扮，但眼睛卻溜來溜去。我一看不妙，知道準是「老折」（即刑警），就趕緊往巷子的那一頭走，他們就從後邊跟上來。我跑他們就追，我隨即拔腿狂奔；還好我過去在學校賽跑的成績一向不錯，暫時沒被追上，我轉到另外一條巷子，發覺是一條死巷。馬上一個翻身，爬到圍牆上面，再跳到一個屋頂上，那邊追來的人大聲叫著：「捉小偷！捉小偷！」

我拚命地跑，到了屋頂的盡頭，再跳下地面，這地方原來是個軍營。我躲在營房的廁所裡面，足足有兩、三個小時，直到三更半夜才敢出來。

這下子，我在台中也待不下去了，就搭夜車到台北。林頌年和戴嘉龍兩個人都被逮捕了，結果如何，我也無從知道。到了台北之後，陸續聽說了小政大幫和藍鷹幫裡被捕的人，都以殺人未遂的罪名被起訴，已經送往看守所，我更是謹慎小心，深怕被警方盯上。

有一天晚上，我突然很想回家看看，因為我已經很久沒有回家了。我想，只要行動小心，警察是不會發現的，而且回去一會兒就馬上離開。好不容易回到了家，家人看到我回來，都難掩驚訝，頻頻詢問我是不是出了什麼事，我當然不會讓他們知道我現在的情況，只是一直安撫他們說沒事，他們才放下心來。父親看到我回來，並沒有多說什麼，我想，或許是他也懶得再罵我了吧。

由於家裡風平浪靜的，我想大概警方並沒有料到我會回到家裡來，因此，我就在家住了兩

天，沒想到，第二天晚上，一聲「不許動！」驚醒了還在好夢中的我，我馬上從床上跳起來，想從後門逃竄，但，來不及了，後門早就被人把守住了。

「你們哪一個是呂代豪？」

在這種情形之下，我已經上天無梯、下地無門，只有悻悻地出來承認說：「我就是。」

初嘗鐵窗滋味

四個刑警把我由五股押到木柵分局。我在那裡住了一個晚上，第二天問筆錄。

「你有參加這次械鬥嗎？」刑警隊長問我。

「是他們要我去的，我沒有打，只不過吶喊助威而已，也沒有拿刀子殺人。」我可以賴就盡量地賴。

「那你為什麼要躲呢？」

「因為我看到很多人被捕，心裡害怕。」

當然，這些理由他們是不會相信的，誰都可以這麼說。所以，最後警方還是把我送到地方法院，檢察官也立刻將我收押，送往看守所。

當時我才十八、九歲，生平第一次嘗到鐵窗滋味，心裡很惶恐，為什麼過去犯罪的時候，沒有想到這些呢？

舊的看守所位於愛國東路一號，進去之後必須先按手印、檢查所帶的東西，將口袋裡所有的

東西——腳上的鞋子、腰間的皮帶，都交給他們保管，之後，他們發給我一雙拖鞋，然後把我關進新收房中。

新收房裡大約關有八、九個人，大家都是因不同的案子進來的，有的甚至已經坐過好幾次牢，有的則和我一樣，是第一次。

那天晚上，我一夜都睡不著覺。我在想，過去曾聽一些老大哥們講到監獄裡面的情形；他們說，只有靠鈔票和拳頭才能過好日子。因為你若有錢，人人都會奉承你，在監獄裡也吃得開；如果你沒有錢，立刻會有人欺侮你，把你當「龜兒子」，你必須跟他們硬碰硬。這種地方是個弱肉強食的世界。我沒有錢，但是我有拳頭，足以自衛。

在新收房的第二天，我被分配在第四工廠裡，那是一個打麻繩的工廠，而我被編到一組一個有人教如何打麻繩的組。白天我們在工廠裡做工，晚上才回到牢房裡去。我在第八房，這間牢房約有四公尺長、二公尺寬，要睡十二個人。

回到牢房之後，我一個人靜靜的坐在角落，大約過了半個小時，就來了一個體格結實的人，問我犯了什麼案子，還要我第二天將錢提出來給他。

原來他是第八房的房長，這個房的規定是，凡是新來的人，不但一律都要打掃廁所，晚上還只能睡在廁所旁邊。

由於我早知道會有這麼一招，正想找個人來開刀，顯一顯自己的威風。因此，在他說完以後，我只是看了他一眼，故意不作聲。他見我不理他，就大聲的問我：

「喂！我的話你聽到了沒有？」

他的話還沒有說完，我就飛起一腳，朝他臉上踢去，他躲避不及，被踢個正著，臉上鮮血直流；我再順手一拳，他就倒在地上打滾。這時，旁邊觀戰的四個人立刻圍了上來，但，對我來說，這些人哪裡是我的對手，我三兩下就把他們打得落花流水了。這一仗打下來，我身上沒有一點傷，那四個人臉上則青一塊、紫一塊，都掛了彩。

這時，管理員也已聞聲趕來，在問清楚事情的原委後，便把我叫了出去，不過他並沒有送我去犯則房，卻把我換到別的房去。原來管理員也是湖北人，我們是同鄉，所以對我比較親切一點。

我換到那個牢房後，他叮嚀我說：「呂代豪，你好好留在這裡，可別再打架了。」

我被換到第五房裡，房裡的人看到我身上衣服凌亂不堪，問我是怎麼回事。我就把之前那個房長看我不順眼想吃我，以及我一個人打他們四個人的過程，簡單的說給他們聽。

新房長打量了我一會兒，問我是讀哪一間學校的？又問我屬的幫派，我一一回答他以後，他便順口說出了飛鷹幫裡幾個人名，剛好我都認識，當天晚上，我受到最好的待遇，我被奉為上賓，並且睡在房長的旁邊。

第三天，我再下工廠時，大家都特別注意我，那四、五個被我打得鼻青臉腫的人，自然不敢再來惹我，大夥聽說我一個能打四、五個，知道我是個狠角色，也就對我特別好。

獲得交保

第四天，父親來看守所看我，說因為我沒有前科，應該可以保我出去。我告訴他，無論如何一定要保我出去，我在這裡實在受不了。

過了兩個星期，我第二次出庭，法官再次詢問我這個案子，我的說詞也仍然和上一次相同，說我只是在場吶喊助威，並沒有拿刀殺人，法官再三詢問我說的是否屬實，我當然說是，於是法官就說：「好，准你以三千塊交保。」

我在拘留室裡等候了兩個小時，總算重獲自由了。

兩個星期的牢，滋味實在不好受，監獄真不是人住的。回到家裡，自然免不了被父母狠狠地罵了一頓，但至少比在監牢裡好，就這樣，我在家裡待了幾天。

直到有一天，陳一鳴的父親臉色凝重的跑來找我，說他兒子把我給他的兩輛機車停在一家店舖的騎樓，可能因為一放好幾天，店家的老闆覺得可疑，便去報了警。有一天，陳一鳴下課去取機車時，立刻被埋伏在一旁的警察逮捕帶到局裡去。原來，警方查到這兩輛機車剛好是台中報失竊的，於是，陳一鳴被提到嘉義警察局盤問，起先他還不肯說機車的來源，後來，刑警打了他兩個耳光，逼他說，他才供出這兩輛機車是一個叫呂代豪的送給他的，還把我的地址也一併告訴了警方。

陳一鳴被警方收押了，他的父親接到通知，便立刻展開「救援行動」！他的父親是台北某大

專的教授，人事關係很好，得到通知後，就請人出面去「處理」此事，不料得到的答案卻是，除非找到承擔的人，不然很難脫罪！因此，他父親就來我家裡找我。

事實上，這兩輛機車並不是我偷的，可是，陳一鳴畢竟還在上學，這件事情如果由他承擔，會影響他的前途，而我，反正身上已經背了木柵的那件案子，再加上這件也沒有多大關係，因此，我一口答應了他的父親，隨他去了一趟嘉義。在嘉義警察局裡，我供稱這兩輛機車是台中一個外號叫「小林」的偷的，與陳一鳴無關，當場，陳一鳴就被放了出來，我則是經過了一段時間以後，以三千元的保釋金交保，回到台北。

再度入獄

那時候，我一天到晚往法院跑——台北出庭，我要在台北；嘉義出庭，我要去嘉義。後來嘉義方面，以竊盜案判了我九個月的徒刑，我又向台南高等法院提出上訴。這時候台北的案子也一直在出庭，還沒有宣判，整天忙著打官司、等結果，讓我浮躁不安，在家裡根本待不住，就又跑去賭場裡混，替他們要賭債。

有一天晚上，我和飛鷹幫的小唐、小雪在東方舞廳跳舞，之後又去中山北路海鮮樓餐廳吃消夜。我們叫了一些菜、喝了點酒，因為氣氛太好，所以又把侍者叫來，想再多點幾道菜，正當我們還研究該點些什麼菜時，旁邊來了一桌外國人。原先在等我們點菜的侍者一看入座的是外國人，便丟下我們，跑去招呼他們，我頓時火冒三丈，藉著酒意，我大聲的把侍者叫回來，並從口

袋裡掏出一疊一百元的鈔票，展開成一把扇子的樣子，一面搧，一面對他說：「好熱！」

侍者根本不知道我在做什麼，只能一臉莫名其妙地望著我。

「他媽的！我們叫菜叫了一半，外國人來了，你就去招呼他們，把我們丟開不管！我們的錢就不是錢，外國人的錢才是錢？」我氣得大吼。

他嚇得面色發青，害怕的站在一旁，這時，我酒性大發，不但一腳踢向他的肚子，將他踢倒在地，還順手拿起一張椅子朝他狠狠的摔過去，差點把他的頭打得開花。我們像瘋狗般失去了理智，掀桌子、打人、叫囂，就連過來勸阻的人也照打不誤，我甚至還拾起地上的磚頭，把店門口養著一些活魚供客人點選的三個水族箱給砸得稀爛。水族箱裡的游魚隨著湧流的水，散落滿地；地上也滿是菜餚和碎裂的碗盤，情況可以用「滿目瘡痍」來形容。

在混亂中，我抽出腰間的小刀，衝到海鮮樓外面，胡亂的比劃揮舞著，這時，有人去報了警，十幾個警察趕到現場，拔槍叫我們不許動，當場我們被帶往中山分局，因傷害和毀損罪被送到看守所。

在法院裡，那個過去辦我案子的檢察官還記得我，對我說：「怎麼？才給你交保出去，你又回來啦！」

我無話可答，馬上收押，被送到第二工廠去。

這是我第二次進來，自然已經有了點經驗，不像以前那麼害怕。但因情緒不佳，我在看守所裡時常打架鬧事，給主管帶來不少麻煩。我由第二工廠調到第三工廠，接著又調回第二工廠和第

六工廠。這一次交保也不准了，我前次所犯的案和這次所犯的案合在一起出庭，結果被判有期徒刑一年兩個月。那是一九七三年八、九月之間的事，父親和母親都來看我，也無計可施。

是犯人，也是翻譯

一九七三年十月一日，我的案子判下來，隨即被送往台北監獄執行。台北監獄在龜山，法院派交通車將我們送過去。第二天被帶出來做了些例行性的動作：詢問家庭狀況和宗教背景、按手印、做心理測驗，之後就把我們安置在新收房裡，一個星期後，分配到各工廠去。

進去後，主管便對我們訓話，要我們好好遵守規則。這個主管五十多歲，人很不錯，對我們相當照顧。我住在愛二舍第八房，被分到第四工廠。龜山監獄第四工廠，是製造塑膠電容器的，工廠約有兩、三百坪，非常整潔，而且是全省唯一有冷氣的獄中工廠。

為什麼犯人還能享受冷氣呢？事實上倒不是為了我們，而是因為塑膠電容器不能受熱，一熱就會壞掉，我們是「禿子跟月亮走」——沾光。夏天雖然很涼快，可是冬天冷氣照開，我們必須多穿衣服了。

就這樣做塑膠電容器做了一個多月以後，也習慣了。兩個月後，有一天，突然有一批新收的受刑人進來，是四個菲律賓人。這四個菲律賓人是在不知情的狀況下，被人利用販毒而遭逮捕，被判了十五年，因為案件在當時十分轟動，還曾在《讀者文摘》上登載過。

我們工廠裡從來沒有外國人來，主管不知如何是好，因為他不懂英文，那四個菲律賓人又不懂中文，而我剛好會講點英文，主管就把我和他們關在一起，一方面替他們翻譯，一方面教他們中文。

後來我們這一房又來了兩個人，一個白人、一個黑人。白人叫做傑克，原來是個船員。因為走私販毒被抓進來；另外一個黑人叫做理察，是美國大兵，因吸毒和販毒被捕，不懂英文的主管，為了省事，也為了方便管理，就將這四個菲律賓人跟兩個老外，交由我來帶，從此以後，我又多了個身分——翻譯。

這幾個人都是基督徒，每天晚上都在一起讀《聖經》和禱告，求上帝赦免他們的罪；我也跟著他們唸：「我們在天上的父啊！願都尊祢的名為聖。願祢的國降臨；願祢的旨意行在地上，如同行在天上。我們日用的飲食，今日賜給我們。免我們的債，如同我們免了別人的債。不叫我們遇見試探；救我們脫離兇惡。因為國度、權柄、榮耀，全是祢的，直到永遠。阿門！」

那時候我根本就不知道耶穌是誰，他們送給我一本英文《聖經》，要我也參加他們的讀經。當時我正學英文學得很勤，這是個練習的好機會；另一方面也是因為好奇，所以就參加了他們每天半小時的讀經，我和他們相處得很好，他們也教我英文。

在工廠裡，我被編到第三組，組長叫紀秉忠，由海南島來的。他是陸軍官校專修班畢業，上尉退役，因為偽造有價證券被判三年徒刑。我們很談得來，在一起時，他對待我就如同小弟弟一樣。同組裡，還有一個叫宋先來，他比我大兩歲，也是飛鷹幫的兄弟，他身體較差，常被欺侮，

我很照顧他。

另一個是周樹台，他本來是在中原理工學院讀書，因為喝醉了酒，和另外一個同學去搶劫而被逮捕。由於搶劫是很重的罪，他被判了十三年有期徒刑，但他知道悔改，每天很用功地讀書，在裡面，最用功讀書的人就屬我和他了。

一九七四年二月，高院要開庭審理我嘉義的那件案子，我被兩名法警押往台南的高等法院，被關在台南市新生街二十四巷三號的台南監獄三舍三房內。這裡是日據時期的監獄，房間很小、設備很差，房間裡又髒又臭，連廁所和馬桶都沒有，只有一個大木桶放在前面，供大、小便之用。

我在那裡住了二十五天，日夜和糞桶為伍，兩、三個月後我又因為另外一個案子，借提到有「黑監」之稱的高雄監獄。

在借提往高雄之前，我就已經聽說過裡頭的菸非常貴，新樂園外面賣五塊半，監獄黑市要賣三、五百塊；長壽菸外面十塊錢，這裡賣七、八百塊，因此，為了能順利的將香菸偷渡進去，我事先就把菸拆成細細的菸絲，藏在要帶進去的棉被裡，準備到監獄後，再用十行紙把一支菸捲成十支老鼠尾巴抽。

這個監獄讓我印象非常深。當天，我被上了兩副手銬，和十來個新收進來的犯人一起被兩名法警帶到房間裡，才一進到監獄，第一眼就看到兩個看來被修理得很慘的人，被吊在鐵欄杆底下，當下，我心裡就有了底。

這裡的檢查也做得十分的「徹底」。他不但搜遍我們全身上下，連嘴巴和牙齒都詳細的檢查、審視，還要大家把褲子脫了，把肛門扒開來檢查。我雖然不是第一次接受監獄裡的搜身，但是，看到這麼嚴厲的檢查，心理還是不免毛毛的。果然沒多久，我就看見他們一一的把我們帶進來的棉被全部都拆開來，當然，我那可憐的菸絲全被抖了出來，我只能眼睜睜的看著它們被一個極兇悍的人掃到一旁，一點辦法也沒有。這個兇悍的人是這裡的主管，外號叫大頭。

一進那大約只有三坪大小卻關了五個人的小房間，我便問其他人：「這個監獄怎麼如此之嚴？我沒看過這麼打人的。」他們告訴我，剛好在我們進來之前的幾個月，有一個無期徒刑犯逃獄了，為了怕同樣的事情再發生，所以管理非常的嚴格；他們還對我說，監獄裡面的幾個主管都非常的兇悍，尤其是大頭，他非常討厭犯人抽菸，如果被他逮到有人抽菸，或者是一不小心讓他聞到你身上有菸味，他就會把你抓出來，吊在鐵柱子上打，打手掌、打耳光，打到你血都流出來為止！

在這個監獄裡，尤其是在大頭手下，這樣打人的事幾乎天天發生。

還好，後來因為我並沒有偷機車，所以改判無罪，但是卻因為我在嘉義住旅館的時候，曾偽造假簽名，所以仍要坐牢兩個月，為了能早早離開這個可怕的地方，我要求與台北的案子合併，法官也准許了，第二天，我就由高雄被送回台北。這時候我在監獄裡也住久了，並沒有感覺壞到哪裡，所以坐監對我來說，一點都不可怕；我的人生，也沒有因著坐監而有什麼改變。

立志當國際殺手

每個人對自己的一生都抱有希望，有些人希望將來當醫生，有些人希望當律師、工程師等等，不一而足；雖然我是犯人，卻也對自己的一生抱有盼望。我的盼望是什麼呢？現在回想起來很荒謬，當時卻覺得理所當然。我最大的盼望就是能當國際殺手，縱橫四海，猶如神龍見首不見尾般。

為什麼我會想當國際殺手？第一個理由是殺手收入豐厚，可以享受豪華的生活；第二個理由是我善於射擊，可以在兩百公尺外，用步槍命中靶心；也有在騎馬打獵時，在馬背上十槍打下九隻鳥的紀錄，最主要的是，我的個性本就好勇鬥狠，所以自認為天生是塊當殺手的好材料。

那時候我的人生目標，就是一個「混」字，絲毫沒有後悔我過去所做的，仍然自恃英雄主義，一有時間就練跆拳、學英文。我學英文的目的，並非想要繼續求學，而是因為台灣法律太嚴，在黑社會不好混，將來想到國外去混，於是我一心想要偷渡出國。

我時常和紀秉忠談這個問題，他的刑期和我相同，都是到一九七四年七月份；另外還有一位四海幫的兄弟王自忠，也常和我們一起討論。紀秉忠說他在高雄港認識一些漁船船員，可以偷渡出海，我們就約定好，將來出獄後，要一起設法偷渡。

我在台北監獄服刑時，在房裡當房長。在監獄當房長權柄很大，因為房長可以管人、可以分配人做事，甚至還有專人按摩。當時我還不滿二十歲，在監獄裡閒著也是閒著，我想既然已經坐

牢了，如果想更上一層樓，就要深入去研究他們犯罪的原因、造成的結果，還有他們的技術，如此才能「知己知彼，百戰百勝」。

以「冒貸案」來說，如何在銀行裡培養關係，上下打點；又如何用別人的名義、人頭貸款進行冒貸？怎麼犯罪？怎樣金蟬脫殼？怎麼虛設行號？這些都是一門門的學問。除此以外，我還研究耍老千的怎麼耍老千；搶劫的人怎麼搶劫；竊盜的、闖空門的，還有偷輪子的（竊車）、專門勒索的，由於每個人都有自己的一套，都有自己的特色，因此我的「研究報告」整整寫了兩本筆記本。

有一天，我們房裡來了一個很特殊的人，他是台灣四大金剛之一，同時也是扒手界的老祖宗——全國扒手排名第一的「梅夢堅」。這個人早在上海時代就已從事此行業，是「正點架模」（正式拜過師）出身，技術之好，連全國上下的警察局都知道他大名，但他之所以有名，主要還是因為他不只跑台灣路線，他還是扒遍日本東京、美國紐約的國際扒手。可是夜路走多了，還是會碰鬼。有一次他到東京銀座戲院裡面作案，被刑警盯住，當場被抓到。經由國際刑警送回台灣來，因為他是累犯，被保安處分判了十年的重罪，送到我們房裡面。

梅夢堅的手法和經歷，我當然很有興趣，因此，一找到機會我就問他：「老梅啊！要有什麼樣的條件才能當窩裡雞（扒手）？」這一問，可問到他的興致上，立刻滔滔不絕的說了開來。

他告訴我，做窩裡雞要有兩個「正點」，第一個是「罩子」要正點，第二個「叉子」要正點。「罩子」就是眼睛，「叉子」就是手。

「罩子」要正點就是眼睛要亮、要看得準。第一，要看準了被扒的對象，是可以被吃定的；「掛點凱子」（即死凱子）還是最好不要去碰；「花凱子」（即活凱子）要能一目了然。第二，一看就要知道這個人錢放在哪裡，知道裡面鼓鼓的是衛生紙還是鈔票。

除了「罩子」要亮，「叉子」正點也是重點，因為眼睛看了以後，手要去掏，所以手碰觸的感覺一定要很靈敏。手要細、要長，靈敏度還要高，因為，假使你的手太粗、太過笨拙，那很有可能手還沒伸到口袋人家就感覺到了，這樣當然是不行的。而他，就是用這兩個訣竅走遍天下，而且萬貫家財！

我聽完以後，好奇心大起，就伸出手來問他：「老孟，你看我這兩隻『叉子』夠不夠正點？夠不夠資格？」

他拉著我的手，仔細的看了一會兒，讚嘆的說：「哇！你天生就有一副好的竊裡雞叉子！真是生下來就是扒手的料。」「你個子高、功夫又好，手又那麼細、那麼長，最適合做竊裡雞。」他一生走遍大江南北收的門徒不多，看我天賦異稟，又一見如故，反正他要關個七、八年，便決意收我做徒弟，如果我願意的話，明天就磕頭、行拜師大禮，他每天會利用半個鐘頭，教我這門絕技。

乍聽他這麼說，我反而有些猶豫了，他便對我說：「小老弟啊！人生難得，像有我這種技術的人，不僅全國難尋，即使是全世界也並不多見，現在，我要把這個絕技傳給你，還有什麼好猶豫的？你沒聽過『萬貫家財不如一技在身』嗎？你看我到紐約百老匯去，什麼錢都不用準備、身

上什麼都沒有，我進去裡面繞一圈出來，身上就幾萬美金。只要這一隻手，天下有比這更好的事嗎？你想一想吧！」聽他說完後，我心裡明白，他說的明明都是歪理，但是，其中卻又不無道理，當天晚上，大家都睡覺以後，我躺在地板上，看著自己的手，心裡反覆的問著自己，我這雙手真的是很適合做竊裡雞叉子嗎？

「呂先生，」這時，我隔壁一個受過大學教育，因做生意失敗被人家倒帳，不得已也倒了人家的帳，被判詐欺罪的陳姓受刑人很有禮貌的叫我：「你不要聽那個老梅胡說八道，這種事能做嗎？這樣做只有自掘墳墓、自尋死路！不過我看你這手這麼細、那麼長，手一張開就可彈八度音，倒是一雙鋼琴家的手。」講完以後他就睡了。我知道他大學時學過音樂，彈琴彈得很好，他這麼一說，我更疑惑了，我反覆看著我的手，這究竟是竊裡雞的叉子還是鋼琴家的手呢？

想著、看著，我突然有了很深的感觸。或許，我之所以選擇了在黑道混日子，過著窮凶惡極、作奸犯科和四處打架的生活，就是因為我出拳剛猛有力，曾得過全國的拳擊比賽冠軍，我的拳頭最適合打架，而且我喜歡那種打到人的下巴或鼻子噴出血來的那種刺激。我怎麼可能有時間去玩鋼琴呢？而且就算是有朝一日我有錢了，買了鋼琴，我大概也不可能去彈吧，因為第一沒有這種生活型態；第二也不會有這種閒情雅致。

但，當時我也在心裡暗暗的立下了誓言：如果有一天……有朝一日我有機會練琴的話，我真的不會放棄。所以在我信主以後，神學院裡剛好有機會可以讓我練琴，而我也真的很認真的去練，雖然琴藝不是非常好，但我有音感，只要能唱出來的，我大概都能彈一些，這或許可以印證

了我當天晚上的誓言。

在板橋受管訓

一九七四年四月，紀秉忠首先出獄；五月，王自忠也重獲自由；我則是七月出來的。

出來的那一天，他們在龜山監獄門口等我，一見面，大家自然高興得不得了，他們倆便請我到台北一家酒家吃飯。紀秉忠告訴我，他已經在東港安排了船隻，只是船價很高，我們有三個人，一人船費二十萬，二十萬在當時是很高的價錢，我們剛剛出獄，身上沒有多少錢，於是我就透過關係找了幾家賭場，東拼西湊地弄到了一筆錢。

那段時間，我曾回過家一次，但只住了一個晚上，和父親談不了幾分鐘的話；見過母親和弟弟、妹妹，就匆匆忙忙出來，一心等上船，可惜事與願違，眼看著即將成的事，又毀在我們自己的手上。

事情是這樣的，我們在一家賭場和一個老大發生糾紛，這個老大知道我們要偷渡，連什麼時間和地點都弄得一清二楚，像這樣的人，如果我們聰明一點，能容忍就該容忍，但是，因為他不肯給我們錢，我一動了肝火，什麼理智都沒有了，二話不說就把他打得鼻青臉腫，結果他去分局密告，這下可好，我才出來不到兩個月，卻在上船前一個星期就又被抓了進去。

這已經是我第三次被捕了，我沒有被送進看守所，卻被送到管訓隊，就是板橋職訓第一總隊，管訓一期是五年，一開始要先在板橋接受三個月的新生訓練。

三個月裡，我們不做別的事，每天從早上七點鐘開始，就在操場大太陽底下出操，做些基本動作，由早到晚幾乎沒有一刻屬於自己的時間，比我過去在陸軍官校還要苦，只有五點半以後才有十分鐘的洗澡時間。

我被送到新收隊，也就是第五隊。那裡的浴室很小，兩百個人擠在一起；水不多，每個人沖不到幾盆。我因為已經在監獄裡進進出出很多次了，所以經驗豐富，罩子（眼睛）也特別亮，為了不自討苦吃，非常守規矩。

才好不容易在板橋熬過了三個月的新生訓練，我又因為另一條罪轉到台北地方法院，關在看守所裡，之後判刑確定，我又被送回我的「老家」——龜山監獄服刑九個月。這次可不是在四工了，因為我是累犯，所以被送到九工去，編入第四組。第四組組長叫李德霖，外號「小山」，也是飛鷹幫的人，過去和我在一起混過，住在第十房。

晚上回第十房後，小山就找我聊天，同房還有另外兩個人一起。我們談著談著，就談到我住的地方——台北縣五股鄉陸光一村。小山問我：「你認不認識一個叫做蘇雅麗的女孩子？」我一聽，立刻回說：「怎麼不認識呢？她是村子裡的美女，也是我的情人呢！」一談到她，我的興頭可就來了，小山打斷我：「你可不要亂吹牛耶！」這一句可是激到我了，為了證明我沒有吹牛，便把她的生日，以及在育達商職讀書時的學號，甚至她大哥、二哥的名字全部說了出來。

不料第二天，小山悄悄把我叫到旁邊，要我以後別再談蘇雅麗的事，因為蘇雅麗剛好是我們同房裡的另一個叫做黃廷志的女朋友，不但常常寫信給他，還常來看他！我聽了嚇一大跳，原來

小山昨天一直叫我「不要亂講」就是在暗示我，偏偏我搞不清楚狀況。從那天起，本來和我還算熱絡的黃廷志，便與我形同陌路，我想他心裡一定很氣我，我心裡也有些愧疚。

他對我的敵視，從學英文這件事上就可看出端倪。在第九工廠因為很多人想學英文，我們白天在第九工廠做工，晚上就在房裡開班，有三、四個人跟我學英文，本來我聽說他每天學英文，但自從我開始教英文之後，他便不再學英文了，每當我在教英文的時候，他就會拿出一本可以上鎖的日記本來寫，這本日記本他可寶貝得很，就連晚上睡覺，也會把它當枕頭睡著。

有一天深夜我起床上廁所，經過他身邊時，發現已經熟睡的他，竟然忘了把日記本收起來，而日記本也忘了上鎖，在好奇心的驅使下，我悄悄的把那本日記本帶到廁所裡去看。日記本中夾了一些雅麗的信，看來深情款款，黃廷志在日記上寫著：

雅麗妳瞎了眼嗎？妳怎麼會認識這種人？看他現在教英文跩得那個樣子，不可一世，好像全世界他最會教英文，我覺得教得也不怎麼樣！

我看了並沒有生氣，反而還滿懊惱的，懊惱自己實在是「多言多語，多有過失」。

沒多久，先總統　蔣公逝世，減刑，我的刑期減到一半；我又被送回管訓隊的五隊，被任命班長。管訓隊裡分很多不同的等級，一般的隊員，只是每天出操做工，每分每秒行動都受限；但當班長就可以不必出操，也不必做工，行動自由多了。

在這個階段我認識了兩個人，一個是張正國，四十歲左右，非常會講話，有繪畫的天分，在裡面當教官，又負責美術設計，是因犯了詐欺罪，被法院判定期矯正，所以才來到管訓隊，我們談得很投機。

另外一個則是馬庭堯，他是空軍官校畢業，駕駛過F104的戰鬥機，對音響及電子通訊設備，以及汽車的結構都瞭若指掌，最厲害的是，不論是再怎麼精密的鎖，他都可以輕易的打開，所以他有「汽車大盜」之稱，我和他的交情不錯，處處互相照顧。

前進「惡魔島」

由於我們在板橋只是過渡階段，受完訓就要送到外島去，所以一九七五年五月，我就被送到外島了。

首先到蘭嶼，被編入十二隊（甲級流氓隊），參加那裡的工程建設，一天到晚在外面修路、挖石頭、扛石頭，修環島公路與機場，工作很辛苦。那時候十二隊，有一批被竹聯專案掃進來的幾個幫派分子，其中包括民國六十年在台北「七七餐廳」，竹聯幫跟四海幫火併的時候，被政府抓進來的陳其理以及陸豪。陳其理長相斯文、談吐不凡，我跟他很談得來，在蘭嶼的時候我覺得我跟他學了不少的東西，後來在他的推薦之下，有了正式的入幫儀式，我正式加入了竹聯幫，而且隸屬於總堂，這是後話。

蘭嶼是個令人難忘的地方，風景優美，位於台灣東南方海面約九十公里的太平洋海域，面積

約四十六平方公里。管訓隊隸屬職訓第二總隊第四大隊，第四大隊分十、十一、十二，三個中隊，分散在椰油、紅頭、東清、野銀、朗島等村落，村落居民大都是雅美族(即今日的達悟族)，幾百年前達悟祖先由菲律賓北方的巴丹群島遷徙而來，熱情豪放，喜歡交朋友，對我們這些管訓隊員並不歧視。

當時我是班長，負責帶領隊員建環島公路及機場，每天可以進出營區，行動自由，剛好隊上配有摩托車騎，所以，我經常跑到紅頭、東清、朗島等村落，品嚐他們特有的飛魚、小米粥等美味，以及他們自製的小米酒。

由於來這裡接受管訓的隊員大都來自都市，見過的世面廣，吹牛本事都屬一流，往往把當地的一些雅美族姑娘騙得團團轉，當然，其中也有真心相愛的，但畢竟是少數，只要管訓期一結束，或調往他處，抑或是重獲自由後，就各分東西了。

過了八個月，我們這一隊突然接到命令調往綠島。

綠島，又名「火燒島」，今日是個名聞遐邇的觀光島嶼，當年可是許多人望之膽戰心驚的「惡魔島」，因為它有兩個世界聞名的場所——「綠島國防監獄」以及「綠島管訓隊」。這兩個單位都直屬綠島指揮部少將指揮官負責。

綠島國防監獄，專門關政治重刑犯，位於綠島正北方靠近燈塔處，當時正處威權時代，一旦被戴上「紅帽子」幾乎就註定了一輩子不能翻身，不但不能假釋，就連刑期服滿，還要送管訓隊「新生訓練」，一方面矯正思想，另一方面等候保證人簽下保書才能出獄。問題是，在那個年代

裡，誰敢替思想犯作保？所以常常一拖就是好幾年(有人等了十年還沒有人保出去)。當我在綠島管訓期間，就遇到了前民進黨主席施明德，還有編《新英文法》的學者柯旗化，大家彼此照顧。

管訓隊位於綠島東北方牛頭山下將軍岩旁，這裡管理極為嚴格與蘭嶼大不相同。雖然蘭嶼也是「打罵教育」作風，但天高皇帝遠，有關係、有特權的隊員不但可以整天吃香喝辣，還可以泡馬子，日子實在好過。

綠島管訓隊可就大不同，因為就在綠島指揮部旁邊，隨時會有狀況發生。

在綠島我被編到八隊。剛開始是新收隊員，接受前後八週的「震撼教育」——整天在操場出操，而且還得在柏油路上匍匐前行五十公尺。我看情形不對，再這樣搞下去，我這條小命鐵會報銷一半，正愁該想什麼法子來改善目前的狀況時，剛好遇上春節時綠島職訓總隊舉行演講比賽，我二話不說，立刻自告奮勇的報名參加。

坦白說，管訓隊裡實在是高手如雲，能把死的說成活的，活的說成死的人才比比皆是，但或許由於我想調個好職務的心志非常強烈，因此勢在必得。皇天不負苦心人，果然給我得到全總隊冠軍，立刻調到辦公室辦理文書工作，暫時不必每天在地上爬，受極為痛苦的折磨。

那時，我也已經開始學日文了，一個人自修，學了一年多，基本的會話已經能夠講得通，再加上我每天還外加背誦一些日本名人所寫的文章，自認為日語已經講得很不錯了，直到有一天晚上，我正在看日文書信，一位年約六十歲左右的老先生來向我借。當時我心裡想，這本日文書很深，他怎麼能看得懂呢？但為了禮貌，我還是借給他看。不料，他足足看了一、兩個小時，而且

津津有味，我覺得十分好奇，因此，當第二天晚上，他又來向我借那本日文書時，我便問他：

「你日文看得懂啊？」

「多少一點點。」他說。

「你日文學多久了？」

「六十年了。」

原來，這位老人家竟然是日本名古屋高級中學畢業的，我真是有眼不識泰山，就如在孔老夫子面前賣弄文章一樣。

他叫呂榮安，是日本華僑，長大之後才來到台灣娶妻生子；後來因經商失敗，加上太太病故，從此就很潦倒。他是因為開空頭支票，犯了詐欺罪，送綠島管訓，如今已坐了五、六年的牢，但因為他在台灣沒有什麼親戚，沒有人匯錢給他，所以生活很苦。我十分同情他，就每天給他一包長壽牌香菸，而他也開始天天晚上教我日文。他說我的日文發音不夠標準，是大阪口音，不是東京口音，就糾正我的發音。每天我們盤腿而坐，他讀一句，我讀一句，我的日文就大有進步。

依管訓規定，甲級晉升乙級需一年，乙級晉升丙級需一年，丙級升丁級需半年，升丁級後再過半年，如果表現良好，就可以呈報結訓，一旦警總批准後就可以回家了。在綠島，我因為表現良好，就由甲級升到乙級，同時也被轉送到台東岩灣職訓第二總隊管訓，他們調我到大隊部福利社當班長，負責飲食部、洗衣部和理髮部的工作。

筱玲首次來信

有一天早上，大隊部開會，除了我隸屬的第五中隊外，還有六隊、七隊兩隊，一共三個隊的全體隊員都集合在操場上。我們站在下面，聽台上的大隊長訓話。那天突擊檢查服裝，不合格的要站到前面去，結果，有五、六十個人站到前面挨刮鬍子。

這時，剛好有一個第六隊的隊員站在我旁邊，我看看他胸前的名牌——田嘉仁，我楞了一下，我之前提過，在陸軍官校時，和我同寢室的同學裡，有一個剛好叫田嘉正，我心裡想，名字這麼相像，會不會就是他的弟弟呢？我又仔細的打量了他的長相，發覺他很像我那個同學，於是過去問他：

「請問你有沒有一個哥哥叫田嘉正？」

他回答說有，我便對他說：「我過去是你哥哥在陸軍官校的同學。」

從那天開始，我就特別照顧他。他屬於第六隊，派在廚房工作，由於我行動自由，所以我們常有機會見面。

一九七六年初，有一天我接到一封信，管訓隊的人因為遠離自由社會，所以非常希望有書信安慰鼓勵，然而信上的地址我實在很陌生，滿懷著疑惑拆開了信，才知道原來是我過去高中同學陳一鳴的弟弟和妹妹寫來的。信上這麼說：

呂大哥您好：

我們是陳一鳴的妹妹筱玲和弟弟亞鳴，聽哥哥說您現在在這裡受刑，所以特別寫信來問候您，希望您能夠平安快樂。

我不知道他們怎麼會知道我在這裡，但是接到這封信，我仍然很受感動——原來在這個世界上，還有人在關懷我！信上還附著一張賀年卡，我因在這裡買不到賀年卡，所以就自己畫了兩張賀年卡，在後面題了幾個字。我想起過去在龜山監獄中和幾個菲律賓人學英文，有幾句英文《聖經》上的句子很不錯，我就寫了兩節：一節是〈路加福音〉十五章七節：「我告訴你們，一個罪人悔改，在天上也要這樣為他歡喜，較比為九十九個不用悔改的義人，歡喜更大。」另一節是寫〈約翰福音〉三章十六節：「上帝愛世人，甚至將祂的獨子賜給他們，教一切信祂的不致滅亡，反得永生。」

我寄去給陳筱玲，她很高興，因為她信了兩年耶穌，非常熱心，很想傳福音給別人；我能讀些《聖經》，她很高興，就時常來信鼓勵我。以後我們就常常通信，談些哲學和信仰方面的問題。

龍蛇雜處管訓隊

從綠島送回台東岩灣職訓隊後，我在福利社工作，因為表現良好，大隊長汪中很賞識我，就

把我調到大隊部去辦公，當大隊部的班長。

管訓隊是個龍蛇混雜的地方，什麼人都有，什麼事情都會發生。所謂「家家有本難唸的經」，在裡面受管訓的人，都有他們自己的一段傷心史，每人都有他的苦處。

民國六十八年的時候(一九七〇年代)，台灣的工業正在起飛，需要勞力加工與代工。而管訓隊有的就是勞力。台東大量的生產生薑，到處是薑田，種得又大又好吃，可是薑不是挖出來就好了，挖出來以後還得經過一道「刮薑」的程序，才能讓薑有好的銷售成績，然而因為「刮薑」後手會很癢，很少人願意做這件工作，於是就請管訓隊員來做。

當時隊上的規定是，只要一天刮三十公斤的薑就不必出操，反之，一天若是刮不到二十公斤，少一公斤就打一籐條，少兩公斤就打兩籐條。但，刮三十公斤的薑是很要命的，像管訓隊員這些沒有經驗的刮薑手，即便一天不休息，也很難刮到二十公斤，還好那時候我工作已經調到福利社，工作比較輕鬆，可以不必刮薑了。

在隊上有一個人叫陳子英，五十多歲，這個名字我永遠不會忘記，因為我弟弟的名字也叫「子英」。他是一個喜歡發牢騷的老士官，因為在部隊非常難與人相處，後來出了事，便被捉進來管訓。每天出操完畢就要刮薑，他好像以前打仗受傷過，手指不靈活，沒有辦法一天刮三十公斤，所以常常挨揍，打到他受不了了。

有一天，大家公認的大好人大隊長來了，他就向大隊長報告刮薑刮得太兇的事，結果大隊長把中隊長叫來訓斥了一番，不料，大隊長一走，中隊長就把陳子英吊起來揍了一頓，幾天後還是

照樣要他去刮薑，而且只要沒有達到標準，便又再叫人把他吊起來打。

陳子英的身上一共有三副腳鐐，一副十二公斤，三副是三十六公斤，吊得實在很痛，陳子英受不了，就一直哇哇叫，中隊長聽了更是火冒三丈，便上前去狠狠的甩了他近十幾下耳光，陳子英也不甘勢弱，氣呼呼的嚷著，把中隊長的祖宗八代都罵遍了，這下可好了，中隊長被他這一罵，顯然失去了理智，便衝過去在他的三副腳鐐上重重的踩了幾下，還外加一頓拳打腳踢，打到他氣消了為止。

當天晚上，當傳令兵再去看陳子英時，他已經沒了呼吸了。第二天一早，中隊長就對大家說他是在接受訓練時暴斃。老士官沒有家人，隊上很快的就將他火葬了。這件事情我想我一生都不會忘記。

還有一個值得一提的是西門町萬國幫的老大，他從小在萬國戲院一帶成長，綽號就叫做「萬國仔」，會對他有印象是因為他的十個手指頭都沒有了，而且是很整齊的被切斷的那種，我雖然很好奇，但是因為他剛被送進來管訓時，我和他並不熟，所以也不好意思問，直到有一天，跟一個朋友聊天時，剛好聊到他，我才知道了他的故事。

原來他年輕的時候，不但逞兇鬥狠，還染上了一個惡習——賭博。本來，他在當時全台灣地價最貴的西門町有三棟房子，環境不錯，可是他好賭，賭到三棟房子都沒有了，就租了一個七樓公寓住。他太太的娘家有一點錢，他就到太太娘家騙，反正只要能騙到、能借到的，他都弄去賭，賭到家裡連飯都沒得吃，甚至連電熨斗都拿去當了，他還是沉迷其中，他的太太在屢勸無效

後，留下了一封表明她絕望已極，只有用「屍諫」來勸先生回頭的遺書，然後從七樓一躍而下，當場死亡！

萬國仔的太太死的時候，他正在台北橋下賭得臉紅脖子粗的，直到警察把噩耗告訴他，他嚇得火速趕回家去，卻已經為時已晚，他的太太早已經氣絕多時了。

看完太太的遺書，他一動也不動的站在那裡，呆呆的看著自己的雙手。他想，這一切都是他的手害他的，他恨透了他的這雙手，剛好他家隔壁是印刷廠，他突然衝到印刷廠裡，將手放進正在運轉的鋒利的裁紙鋼刀下，「哐噹」一聲，十根手指頭應聲而斷，他用失去的十隻手指來宣告他戒賭的決心。

這樣的決心應該夠大了吧？他應該不會再賭了吧？如果你這麼想，那就錯了！有賭癮的人，如果不是從心改起，即使是沒了十根手指頭，他走到哪裡，還是繼續賭到哪裡的。

失去手指的萬國仔在管訓隊依然賭，不但賭，他還能坐莊發牌哩！大夥躲到又髒又臭的廁所裡賭四色牌，萬國仔用他的手掌發牌，技術又快又準，連常人都很難比得上。

可見「賭」之害人、蝕人之心有多深！人性之最惡都在賭中看見了！

起意脫逃

我在大隊部當班長，平時只辦理些文書業務，倒是滿輕鬆的，我就把大部分的時間用來讀英文和日文，有時也和陳筱玲（以下稱她為筱玲）通信。

有一天下午，辦完公之後，我在大隊部旁邊一個花園裡背誦日文，有一個七隊分隊長王亞駒也來花園休息，聽到我的日文那麼流利，吃了一驚，心想管訓部怎麼會有這樣的人，就過來和我聊天。我對他說，我日文已經學了好多年，他就請我教他日文和英文，因為他已經聽別人說過，我這兩樣都會。

本來我是沒有這麼多時間教他，我自己讀書都來不及；但他是分隊長，很多地方對我有幫助，於是每天晚上，我都抽出一小時，替他補習日文和英文。我要他死背活用，要求很嚴，他進步很快，所以平時我託他替我辦點事，他都願意幫忙。譬如我請他替我買幾本外文書，他也替我買，還送了我一些外國香菸。

這時候，紀秉忠已經由龜山監獄出獄了(我們一起被捕，只是他未送管訓)，他來信說他在新店通用電子公司上班，希望能和我早日見面。我看了他的信，心裡很高興，但是，我在管訓隊還得待上兩、三年左右，即使要和他見面，也還得等一段時間，想著想著，不禁起了逃脫的念頭。

每天晚上，我送公文到總部去時，經過管訓隊的圍牆，我都會想，我的刑期還有三年，三年對我來說，是個漫長的日子，雖然我行動還算自由，但畢竟還是坐牢；就如同一頭關在大籠子裡的野獸，雖然可以自由地在裡面走來走去，但畢竟還是關在籠子裡。既然如此，為什麼不奔向自由呢？但若要脫逃，必須先經過精密的策劃，並打聽逃亡的路線，否則被捉回來，可就慘了——

我知道，如果我逃得出去，第一個可以投靠的人就是紀秉忠，但必須有人先替我傳信息給他，可是，犯人的信件出入都要經過嚴格檢查，想逃出去的話，自然不可能寫在信上，思考再

三，我決定請王亞駒分隊長趁放假返台北之便，替我和紀秉忠見一面。

其實，在規定上，官長與犯人親友碰面是被嚴格禁止的，但王亞駒念我對他有教導之恩，而且他一點也不知我葫蘆裡賣什麼膏藥，就一口答應了。於是，我隨口交代了幾句話，並寫了一張條子，請他務必轉交給紀秉忠，當然，我在紙條中暗插了一些暗號，告訴他我將脫逃，請他替我安排住宿地點的消息。果然，不久後，我接到他的回信，信中表示沒有問題，要我只管放心進行。

於是我開始計畫脫逃。

一九七二年逃亡時攝於某山區。

亡命天涯

為了爭取我要的自由，我選擇逃亡。九死一生地逃出了岩灣，繼續混黑道、闖江湖、龍蛇纏鬥……

一九七六年十一月逃亡期間在台北某山區使用狙擊槍實彈射擊的情形。

精心策劃

「小力，你想不想馬外(脫逃)？」小力是田嘉仁的外號。

有一天，他在廚房裡工作的時候，我過去問他，這時候旁邊沒有什麼人。

「馬外？」田嘉仁露出一臉的驚訝。「你不是在開玩笑吧！圍牆這麼高，九個警衛堡，二十四小時持槍警戒，你不想活了？」

「現在正是我們闖天下的時候，老是蹲在苦窯裡，把人生都蹲掉了。要說危險嘛，那是因為他們計畫不周密，我可是經過長久的策劃和設計，包管萬無一失。」說著，我便從口袋裡拿出一張草圖給他看，並且詳細說明逃亡的路線。

「嗯！不錯！不錯！」田嘉仁滿意地點點頭。

「怎麼樣？閃不閃？」

「一句話！」田嘉仁慎重地答應了。

從那天開始，我們每天都積極地準備，因為脫逃是件危險的事情，若運氣不好，就會被警衛當場開槍打死；就算不死，被活捉回來，後果也不堪設想。但是為了爭取這不應該得到的自由，我們也顧不得那麼多了。我每天仍然裝作若無其事的樣子，照常上班、讀書，同時，為了能和田嘉仁在一起，我就請求調到六隊去，大隊長也批准了；我假借教小力讀書的名義和他睡在一起，其實是計畫逃亡。

那時是一九七六年的七月。由於我每天送公文時，必須繞整個總隊一圈，所以對內部的地理環境算是相當的熟悉。我想，要想在白天脫逃是絕對不可能的，因為只要一靠近圍牆，警衛就會開槍射擊；至於晚上，雖然可以藉天色之便，但是隊上有探照燈，要能夠不被發現的接近圍牆也是件難事；但是兩相比較之下，晚上畢竟還是合適些。

確定了晚上以後，問題又來了，哪一天晚上才合適呢？我東算西算，只有星期六晚上最好；因為值星官交接的時間都在星期六，他們中午交接，晚上最輕鬆。而且週末，許多官長都回家探親去了，有的則到台東市區去玩，所以官長特別少，萬一有人脫逃，動員人力去抓的力量也勢必減弱。

可是又有一個問題產生了。我是大隊部的班長，晚上可以出來走動，可是田嘉仁則不同，他白天在廚房做工，晚上則得在寢室裡看電視或上政治課，不可能像我一樣自由進出，我該用什麼法子才可能把他弄出來呢？我每天都在想這件事，想著想著，終於給我想出了對策。於是，我立刻決定，就在七月十七日星期六晚上，進行我的逃亡計畫。

那天晚上六點鐘，我趁大隊長洗澡的時候，偷偷溜進他的辦公室，拿起手搖電話機，對總機說：「這裡是大隊部，請轉第六隊。」

「六隊。」電話立刻轉到六隊。

「找你們值星官聽電話。」

過了一會兒，六隊的值星官章錦隆來聽電話，他是個很厲害的分隊長。

「是值星官嗎？」我說。

「是。」

「這裡是大隊部。貴隊有一隊員叫田嘉仁，大隊長有事要召見他。如果你們一時派不出警衛把他帶來的話，我是大隊部的班長，可以前來帶他。」

「那麼晚了，大隊長還找他有事嗎？你請大隊長來聽電話。」章錦隆說。

我沒有辦法，只好說：「大隊長現在在洗澡，我請他洗完澡再打電話給你。」事情就這樣不了了之。

晚上我回去時，就對田嘉仁說：「章錦隆不上這個當，我們再想辦法。」

還好，事後章錦隆並沒有向大隊長求證，否則西洋鏡就被拆穿了。

七月份進入颱風的季節。我們都知道台灣七、八月很容易有颱風，而且台東又是沒有山屏障，所以太平洋氣流直接從東海、南海長驅直入，所以常常有颱風，而且颱風帶來豪雨，那時剛好連續幾個颱風侵襲，山上爆發了土石流，很多的橋、港灣，以及村落都被土石流淹沒，所以，東部地區警備司令部，就調派很多的軍警到各處搶救，就在這個節骨眼上，我知道，這就是逃亡的最佳時機了，因為大家忙著救災，根本沒辦法調出多餘的人力來追捕逃亡的人，於是，我開始靜待機會的出現。

過了幾天，好機會來了！大隊部有個平日和我們處得很好的原住民警務官叫顏德銘，因為他榮升副隊長，不久便要由台東調到花蓮去，直覺告訴我，這是個可以利用的機會。

那天早上我一見到他就說：「報告警務官，恭喜你升官啦！你不久就要走了，我想為你餞行，大家聚一聚。今天晚上在升旗台那邊擺張桌子，我們好好聊聊，怎麼樣？」

「好啊！」他很高興地說。

「警務官，你認不認識六隊有一個叫田嘉仁的？」

「認識，怎麼樣？」

「這個田嘉仁對你非常欣賞和敬佩。」

「怎麼說呢？」

「他說你很會做人，對隊員也不輕視；在管訓隊裡，像你這麼好的長官，實在找不到第二個。」

「哪裡！哪裡！」他心花怒放地說。

「他知道你不久要被調走，就想歡送你。好不好，晚上也調他來這裡，大家一起喝酒聊天？」

「可以啊！」

顏德銘是警務官，官階比中隊值星官大，他向六隊值星官程榮魁打個招呼，田嘉仁便很順利地出來了。

我們先在福利社買些罐頭、鳳梨、花生及下酒的滷菜，雖然這裡規定不能喝酒，但是我們多花點錢，還是有辦法弄得到酒，除此之外，我們還買了些餅乾、牛肉乾，就在升旗台那裡，邊喝

邊聊，我們一面拚命地勸他喝酒，自己卻喝得很少；一面則不停地對他說好話——「警務官，你很有本事，把馬子的技術是一流的，教教我們，將來出去後也可以學學。」我們哼哈二將一拉一唱，把他捧得昏頭轉向，有如騰雲駕霧一般，教他樂不可支。

就這樣，我們一直聊，從天色還亮，聊到傍晚七點多鐘，天色漸暗。這時，我和田嘉仁交換了一個眼色——時候到了。

我對警務官說：「時候不早了，你後天才調走，我們明天再來聊吧！」這時的他，早已經喝得幾分醉了，隨便應了我們幾句，就回房去睡覺。

瘋狂大逃亡

那天是一九七六年七月二十四日。當時，天色已經全黑了，我和田嘉仁握握手，互祝好運後，就到花園裡，拿出預藏在那裡的繩子，並換上灰色衣服，走向大門口的那道圍牆。在圍牆上面有根水泥柱子，每根柱子上面寫著一個字，合起來是「抬頭挺胸，並肩齊步」八字。我們選擇在「抬」字底下爬上牆去，那時候已經是晚上八點鐘，來往的官長很少。我們由小路通過了花園操場，很順利到了大門口附近，先暫時躲在圍牆旁的廁所邊等機會。

離開這地方不到十公尺，就有一個圓形的碉堡，上面有荷槍的警衛來回巡邏，圍牆大約三點五公尺，既高又厚，頂上還有一公尺高的鐵絲網。因為圍牆太高，我們不可能爬得上去，必須兩個人合作才有可能——也就是說，要有一個人先站在底下，讓另一個人踏上他的肩膀，還要高舉

雙手，好讓另一個人能夠站在他的手上，攀到圍牆邊緣。鐵絲網每隔五公尺，就有一個水泥樁子，先上去的人可以把繩子套在水泥樁子上，然後把繩子墜下來，使下面的人抓著繩子爬到圍牆頂上。在這個過程裡，最重要的就是時間，時間必須配合得緊密，不可有絲毫的疏忽，否則一定功虧一簣。

但，我和田嘉仁，誰在上面，誰在底下呢？我和小力兩個人心裡都有數，站在底下的那個人是最危險的，因為衛兵不是死人，他隨時都在來回地走，我們必須在他轉身往回走的時候，才能靠近那道圍牆，如果不幸被發現了，他一開槍，站在圍牆上面的人可以馬上跳過圍牆往外面跑，留在下面的人就只有等死，絲毫沒有任何機會。

可是，無論如何，總是要有一個在上，一個在下，在我們脫逃的前幾天，我們就已經想過這個問題。小力說他年紀小，體力比較差，怕背不動我，雖然我明知這不是理由，但逃亡勢在必行，我只有犧牲一點了。

我們等在廁所邊算時間——警衛堡的探照燈很明亮地照在圍牆的周圍，衛兵向我們這邊走過來，到了盡頭就回過身，往另一頭走去。我緊張得連心臟都快要跳出來了。由廁所到圍牆大約有十公尺左右，我想衝到「抬」字那邊去，卻一直不敢，心中不住地掙扎。最後總算下定決心，待衛兵一轉身，我就衝到圍牆底下，把頭靠在牆邊，兩手反身在後，叫小力也衝過來，跳到我的身上。他有點猶豫，我向他不住地招手，輕輕地說：「快！快！」

他衝了過來，爬上我的肩，踩到我的手上，我用力將手向上舉，高度剛好，他很靈活地爬了

上去，將繩子套在水泥樁上，再把繩子的另一頭垂到我胸前，我立刻緊緊地抓住繩子，奮力往上爬。可是才抓第二下時，繩子突然斷了，頓時，我跌落在地上，發出了一點聲響，雖然衛兵沒有發現，但我卻早已嚇得魂都去了一半了。不過，我沒有多少時間遲疑，我看著眼前短了一截的繩子，奮力的往上一跳，很幸運地，我抓住了那短短的一截繩子，立刻，我用力的攀了幾下，也到頂上。

從上面看下去，下面是草地，旁邊有椰子樹，大門口還有一個持槍走來走去的衛兵，由於，留在圍牆上面太久也不是辦法，等了一會，一找到機會，我們就跨過牆頭那一公尺高的鐵絲網，一躍而下。

在圍牆的外面有一個警衛連駐紮在那裡，我們跳下去的時候，剛巧一個年老的官長，正走去浴室洗澡，手上拿著一支手電筒，一邊走，一邊哼著平劇裡的「蘇三起解」，他似乎聽到有物體從圍牆上面掉下來的聲音，就朝我們這個方向走來，我心裡想，這下可不好了！果然，他很快的發現了我們，並且，將手電筒照在我們臉上，放聲大喊：「有人脫逃啦！」

砰！砰！幾聲槍響，警衛開槍了。那位官長衝上來要捉我們，情急之下，我也管不了這麼多了，我使勁全身的力量飛起一腳，將他踢倒在地（據說那位官長因此住院兩個禮拜）；此時，旁邊警衛連裡的警衛，一聽到槍聲也傾巢而出，情況十分危急，我們除了不停的向前跑之外，什麼也顧不了了。

我們就在黑暗裡不停的向前狂奔，由於地形不熟，兩個人在甘蔗田裡跌跌撞撞的，不時的摔

得人仰馬翻，手上、臉上、腳上都被鋒利的甘蔗葉子刮得遍體鱗傷，但，當時的我們，哪裡有時間停下來看傷口？

就這樣，一路跌，一路跑，不知道跑了多久，也不知道跑了多遠，直到四周圍的甘蔗葉突然沒有了，我們才發現，原來，我們已經踏進了一個地瓜田裡。突然，一道手電筒的光線從前方向我們射過來，我們嚇得立刻伏在地上，一動也不敢動，我清楚地聽到他們在說：「趕快搜，一定就在這附近！」

九死一生

地瓜田不像甘蔗園，四周幾乎沒有躲藏的地方，為了怕被緊追不捨的警衛發現，我們只好慢慢在地上匍匐前進，直到我們聽到警衛的聲音遠了，才敢從地上爬起來，再繼續往前跑。當時，我們只有一個目標，就是離開管訓隊越遠越好。

管訓隊那邊的探照燈很亮，黑夜裡看得很清楚，我們就往相反的方向跑，每跑一段路，就停下來，一方面是喘一口氣，另一方面則是看方向。據我所知，每逢有犯人脫逃，管訓隊馬上就會派人埋伏在幾條路口上，所以沒有一條路是安全的，因此，我們避開所有有路的地方，但即使是如此，我們仍不時的會遇到有人在喊：「在這裡！在這裡！」

一聽到這樣的聲音，有如驚弓之鳥的我們，就會馬上往甘蔗園裡鑽，一路躲躲藏藏的，由甘蔗園跑到了一個叢林。

叢林裡到處是尖銳的刺，還好我們腳上穿著厚底的球鞋，身上衣服也是裹得緊緊的。但就在這個時候，我突然聽到田嘉仁大叫：「救命啊！救命啊！」原來他一不小心摔落到一條五、六公尺寬，且水流非常急的小河中，眼看著就要被水沖走了。我趕緊沿著岸拚命地跑，四周黑漆漆的，視野非常模糊，還好我跑的速度夠快，沒多久就趕上了他，伸出手一把把他拉了上岸，這時的他，早已經全身濕透了。

我們過了一座小橋，往另外一條路跑，跑了將近半個小時，只聽到前面排山倒海、洪水奔流的聲音，原來我們已經到了東部最大的河川——卑南溪的邊上了。我們原定的計畫是渡過卑南溪到花蓮，再由花蓮搭車到台北；可是當時剛下過幾天豪雨，所以山洪爆發，水流湍急，前後又沒有路，只好先坐下來想想辦法。

於是，我們坐在河邊喘了口氣，喝了口水，想點支菸來抽；田嘉仁身上有菸，可是被水打濕了，我就拿出我的，沒想到火光一亮，附近的警衛立刻就發現了，只聽到：「在那邊！」接著就是砰的一聲槍響，我們趕緊往河的下游跑，足足跑了一、兩個小時，才歇下來。

眼前，唯一可能成功脫逃的方法，就是渡過這條卑南溪。我和田嘉仁都會游泳，尤其是我，在陸軍官校時，我還曾經得過游泳比賽的第一名。

河面有五、六十公尺寬，雖然天色很暗，但隱隱約約還可以看到對面有個三角洲際，因此我們約定，萬一被水沖散了，可能的話，就先在那個三角洲上會合，假使情況不允許，就在每一個星期天晚上七點鐘，在台北國賓戲院地下室的銀馬車咖啡廳見面；兩個月之內，若我們兩人有人

一直沒到，就表示他不是溺死了，就是已經被捉回去了。

一切都交代好了，我們就開始一步步往河裡走，水流得很急，我們都幾乎站立不住，等水深到膝蓋時，已經寸步難移了，可是後有追兵，不走又不行。我們兩人走在一起，我先走一步站穩了，再把他扶過去；然後他再向前一步站穩了，也把我扶過去。

我們不知道前面有多深，只有一點一點向前推進，到後來，我把田嘉仁扶過去的時候，突然他沉下去了，把我也一起拖下去；原來前面是個斷崖河道，我便在水中漂蕩，一個大浪打過來，把我翻了幾翻，天旋地轉，分不出方向。浪很大，使我無法施展游泳技能，我拚命設法使頭浮出來，以便呼吸；並用手拚命划水掙扎，好半天，慢慢地腳踩到了地。原來我被水沖了將近一千公尺，已經過了那條大河；我伏在沙灘上，休息了很久，漸漸恢復了體力，才發現我已經快到出海口了。

我不知道田嘉仁的情形如何，可是我還是要回到三角洲那邊去等他，我走了二十分鐘才到達那裡，就坐在石頭上；我等了很久，心裡想，田嘉仁一定是凶多吉少，就忍不住哭起來，越哭越大聲。將來如果我再見到他的哥哥，要怎麼交代呢？不逃出來倒好，還有幾年就可以出來，現在人死了，教我怎麼辦？我是從來不哭的，那時候卻哭得傷心。

突然，我發現河對面有人影在晃動，嚇得我趕緊躲起來，仔細一看，似乎有個人在向我招手，還叫著：「呂代豪！」

是田嘉仁！我高興極了，可是我們現在卻是隔河相望。天開始下雨，越下越大。我叫他快快

游泳過來，他卻叫我游過去；我不想再過去，因為我們的目標原來就是要過來的。兩個人僵持了好半天，這麼下去也不是個辦法，到最後還是我過去；我往上走了兩百公尺，找個地方下水，由於這次心裡有準備，而且把鞋子脫了，行動比較方便，總算平安到了對岸，兩人抱頭痛哭，恍如隔世。

休息過後，我們還是要往下走。我們就沿著卑南溪走，想從橋上過河到對岸去。沒想到我們原以為橋上沒有人(其實有埋伏我們不知道)，正當我們要過到對岸去的時候，突然槍聲大作，有人大喊：「不許動！」眼看前面是不能去了，我們便往後退，沒想到後面也傳來一聲「不許動！」原來橋的兩旁都早有埋伏了。

眼看著前後的路都被封了，我只有大喊：「小力，跳！跳！」那個橋離水面大概有十幾、二十幾公尺高吧，我們兩個人牙一咬、心一橫，便縱身跳下去。還好這水很深，不深的話連命都沒了。我們跳到水裡去，隨著大浪往下游滾去。還好我們兩個都深諳水性，抱住山洪爆發後從山上沖下來的樹木，當成我們救生的木筏。順水往大海漂去，浪很大，水流又湍急，山洪爆發又下著雨，我們幾次從木頭上掉下來，又沒命的爬回去，就這樣在大海裡四、五個小時之久，後來實在是累了，就趴在木頭上睡覺，可是浪那麼大，怎麼睡得著呢？好不容易熬到了天亮，卻早已經是氣若游絲。

七月份的太陽很大，曬得我們頭皮發麻。而台東的外海鯊魚又特別多，在海裡漂流著實在讓人害怕，我們趴在木頭上，沿著海流，兩個人輪流向岸邊划，還好剛好碰到漲潮，潮向岸邊打

去，終於，划著划著，我們看到了陸地。

等雙手重新碰觸到陸地，已經是中午時間，烈日當空，我們兩個人爬上岸以後，馬上鑽到一個人家的果園裡去，就躲在樹蔭下呼呼大睡，這一睡就睡到傍晚，因為實在是太累了，這輩子還沒有這麼累過。

醒來後，為了換下身上的管訓服，我們跑到附近農家偷了幾件衣服換下，還戴上了斗笠，一副農人的裝扮。四處打聽了一下，才發現我們居然到了知本，知本溫泉是世界上有名的溫泉區，可是我們哪有心情洗溫泉，我們只想趕快離開那個地方，還好我們兩個人身上都還有一些錢，雖然都濕了，但是曬一曬還是可以用，於是在車站買了車票，匆匆吃了一頓飯，離開車時間大概還有兩個小時，為了打發時間，我們看到車站旁邊有彈子房，我們都很喜歡打彈子，而且在監獄的時候常常吹牛，說誰的彈子打得比較好，這回可以較量了，兩個人就決定去打彈子。

這時我肚子突然一陣絞痛，拿了幾張衛生紙，就到旁邊香蕉園上大號。上完了，回到彈子房，一進去我就發現情況不對。有一名警察正在盤問小力，要他拿身分證出來。

我們實在太大意了，原本我們是一直戴著斗笠的，但是因為要打彈子戴著斗笠不方便，就把斗笠摘了下來，路過的警察看到我們頂著大光頭，又穿著不合身的衣服，當然會覺得不對勁，眼看著盤問小力的警察就要拿出手銬來的時候，我心一急，順手拿起彈子房的撞球桿，就往那警察頭上、背上使勁地打了下去，只見他噗通一聲倒在地上，我立刻大叫：「小力，閃啊！」

我們兩個人立刻就鑽到隔壁的香蕉園裡面，往後山拚命的跑，沿著知本旁邊的中央山脈西

行，我們在深山裡待了五、六天，其實本來可以不要這麼久的，但是白天我們不太敢走，怕被當地的原住民發現，他們抓到一個犯人可以領五萬元的獎金；晚上走又怕碰到捕獸的器具，只好偷偷摸摸的慢慢前進，這真是一生中很難忘的一段路程啊。

我們一路慢慢的走，一路偷山區居民的衣服與水果，衣服愈換愈好，也找著帽子，不再戴斗笠了。後來終於到了屏東里港，搭直達車到高雄，總算是回到了城市裡！

潛居高雄

到高雄已經是早上七點鐘了。我先打了個電話給一個開餐廳的結拜兄弟，他不在，我們就又搭高雄客運去旗山找何國賢，他和我一樣，也離開了陸軍官校；我們找不到他，只有他大嫂在家裡，她告訴我們，何國賢已經去台中做生意了。

這時候，我們身上的錢已經用得差不多了，雖然我和他大嫂不熟，但在沒有辦法的情況下，只有厚著臉皮開口向她借錢，好不容易才借到兩千塊錢。小力有一個女朋友叫小蓉，在高雄喜萬年酒樓當服務生，過去也曾在風塵裡打滾過，小力居然跟她聯絡上了，這個女孩子為人豪爽又上道，她馬上就安排我們住在兩個高棉僑生家裡。這兩個僑生，讀高雄醫學院，在外面租房子住，對我們相當熱情，弄了很多吃的來招待我們，飯後我們就在一起聊天。

我們把脫逃的經過說給他們聽，他們聽得目瞪口呆，對我們佩服得五體投地。就拿出最好的衣服給我們穿，由於我們的身材跟他們差不多，所以很合身，又送給我們兩把短刀，是俄國突擊

隊所用的刺刀，是他們從高棉帶來的，價值至少在五千塊錢以上。這兩把刀掛在身上，對我們來說，就好像老虎添了翅膀，也好像吃了定心丸。

在他們宿舍過了一個晚上，第二天夜裡，我們就搭夜車去台北，天亮了才到達。我已經有幾年沒有回台北了。我在車上對小力說，我脫逃出來，只有一個目的，就是要偷渡出國；小力也表示要跟我一起。我告訴他，我的基礎是在台北，所以要在台北混；小力是台中正氣幫第九批的兄弟，基礎在台中，但是他不想回去，願意跟我一起在台北發展。於是我們一下車就去木柵保儀路找紀秉忠。

早上八點鐘，我們按著地址尋找目的地；那時候我們頭上都戴著帽子，身上穿著僑生贈送的衣服，人模人樣地到了他家樓下，看見紀秉忠正在和一個人聊天，就上去叫了一聲：「大哥！」他看見我們嚇了一大跳，馬上對我們使了個眼色，匆匆的結束了和那個人的對話，就帶我們離開。

他把我們帶到另外一棟新的公寓裡，關上門就向我們伸出手來說：「歡迎你們重獲自由！」

我們熱烈地握著手，我向他介紹小力。

他說：「我替你們找好了房子，就是這裡，還滿意吧？」

我們點頭表示很滿意。

住的地方有了，我們就開始商量未來的計畫。眼前，我和小力不可能在台灣久住，唯一的出路就是偷渡出去，但我過去曾吃過一次偷渡不成的虧，深知這事不能操之過急，更不可輕舉妄

動，所以決定先躲些日子再從長計議。

我那時候還是個大光頭，戴假髮又不習慣，因為天氣很熱，必須先等到頭髮長出來，再正式出去活動。坐了好幾年的牢，一旦重獲自由，心中酸、甜、苦、辣各種滋味都有。雖然這個自由是假的，但至少每天不會再受官長的氣；早上起床，睜開眼睛也看不到鐵窗，因此心裡一方面是恐懼，另一方面又很高興。

紀秉忠白天要上班，我和小力自己做飯、做菜吃，盡量少與外面聯絡；每天在屋子裡練跆拳、讀英文、看小說、看電視。

過了兩個星期，我打了一通電話給弟弟，約他出來見面。那時候他在空軍幼校讀書，已經二年級，將要升三年級；我問他家裡情形如何，他說，警察經常來找我，父親一提起我，就恨得咬牙切齒，說只要知道我在哪裡，一定去告密，教警察把我抓回去。

弟弟還告訴我另一件有趣的事：七月二十四日，我由岩灣職訓總隊脫逃出來；二十五日，剛好弟弟學校開始放暑假，他就帶了一大簍的龍眼、荔枝，大老遠跑到岩灣看我。他才在會客室裡辦完手續，大隊長和警務官顏德銘就都出來了，他們把我弟弟帶到大隊部去，很嚴肅地對我弟弟說：「你哥哥昨天晚上脫逃了！」

我弟弟一聽，嚇了一大跳，一時之間，竟說不出話來，等回過神來，才趕緊問他們現在的情況。他們說，抓了一個晚上都沒有睡覺，現在正忙著抓人。已經派出幾百個警備部隊的隊員，會同管區與憲兵部隊正在大規模搜山。

大隊長對我弟弟說：「我對你哥哥不錯，他要讀書，我就調他來大隊部，我這麼愛護他，沒想到他會忘恩負義。現在我要被記過，警務官不但要被記大過，就連官也升不成了，你哥哥真是害人不淺啊！你回台北，若遇到你哥哥，勸他千萬要回來投案。他的刑期不執行完，是絕對不行的。這樣子會誤了自己的一生，只有回來投案，才能夠減輕刑罰，否則他永遠要在犯罪的漩渦裡打轉。台灣這麼小，他能跑到哪裡去？」

弟弟回家後，將這件事告訴父母，他們都哭得很厲害。

說到這裡，弟弟也勸我趕緊回去投案。

我對他說：「子英，事情沒有那麼簡單，回去可就慘了，不被打得半死才怪呢！我只有偷渡出國去。」

「那你偷渡是不是能成功呢？」弟弟問我。

「上次我是被別人密告才會被抓，這次一定能成功！」我說。

那幾天我想了很多問題，我現在是個通緝犯，警察若抓到我，是可以記功嘉獎的，而且我也得到消息，因為我是職訓總隊脫逃的重大刑犯，所以警方懸賞三十萬捉我。三十萬在當時來說是非常大的數目，相當於現在的三、四百萬，那時，一棟房子大概也只需要三、四十萬就可以買到。以至於警察們對我都很有興趣，四處佈線，唯一的目的就是要捉我。這種躲躲藏藏、草木皆兵的滋味實在不好受，不但行動上不自由，心理上也有很大的負擔，隨時擔心有人找上門來，除此之外，我也不敢和外界有任何接觸，更不敢讓過去的一些女朋友和兄弟知道我已經出來了，因

為只要其中有任何一個人出賣我，我就完了。我已經吃過一次虧，吃一次虧就該學一次乖。

復出江湖

大概過了三個星期，我心裡稍稍平穩一點，就打電話給筱玲。這是我和她通信以來，第一次和她談話。她接到我的電話大吃一驚。

我也不知道該和她說些什麼，只問她：「怕不怕？」

她嚇得連話都說不出來。

我想她心裡一定很害怕，於是我不再多說了，只對她說：「我過些日子會再打電話給妳。」就把電話掛掉。

在公寓裡窩了那麼久，身上的錢也漸漸用完了，我自覺不能老是依靠紀秉忠，於是請他去替我找些門路、放點風聲，去和一些賭場老大說我已經出來了，需要些錢用，這一個舉動多少得到了一些朋友的接濟，解決了我的燃眉之急，但是偷渡所需的費用很大，如果不走回老路——向人要賭債，是不可能憑空出現的，決定了以後，我和小力一起合作，靠著心狠手辣，那幾個月也要了三、四筆債，累積了一點錢。

有一天，我隨便翻了翻電話簿，忽然看見一個人名，是鄒鼎的女朋友張翠菊。我和鄒鼎失去聯絡很久了，也不知道他的地址，就打電話給張翠菊，約她見面。我問她有沒有和鄒鼎來往，她說有；又問她鄒鼎最近的情況，她說鄒鼎現在在台中東海大學國際貿易系讀書，將升三年級了。

我一聽，心裡有無限感觸，當初我如果不參加小政大幫，去和人械鬥，今天不也在享受學生生活嗎？但想想，是我自己毀了自己的前途，也怨不了誰。

因為鄒鼎正在台北，所以當天晚上，我就見到了他。老朋友好久沒見面，格外親熱。我講了許多過去的經歷，彼此談得很晚；我又請他來我們保儀路的公寓裡，這地方我們一向是不讓外人來的，因為鄒鼎是我的老朋友，我信得過他。

那天夜裡，我們談這談那，談未來的計畫，談得十分暢快，也喝了不少酒，我還介紹小力和紀秉忠給他認識，那時正是暑假期間，我的頭髮已經長了，加上要了些賭債，身上有幾個錢，吃、喝、住都不成問題，還買了輛車，日子過得好很多。

九月份鄒鼎要開學了，必須先趕回東海大學去註冊，要我跟他一起去台中。我便駕駛新買的福特跑天下轎車送他到台中，去東海大學辦完註冊手續，鄒鼎對我說：「來！我帶你去一個地方。」

牛鬼蛇神

他帶我到一個大廈裡，叫樂群大廈，裡面住的不是舞女，就是酒吧女。原來他還有一個女朋友叫小文，也住在那裡，長得相當甜美。小文過去是個舞女，鄒鼎有一次在餐廳喝咖啡時，胡亂搭訕認識的，對鄒鼎可是一片真情。小文所認識的那些女孩子，都是在風塵中打滾的，但年紀都很輕。鄒鼎雖然在東海大學讀書，卻不用功；每天都下山，在台中市鬼混，一個禮拜上不了幾堂

課。當然，我也不是個好東西，對這方面真是正中下懷，興趣濃厚。

那天晚上，小文介紹她的一個好朋友給我，叫小青，滿漂亮的，身材可以去選美，大大的眼睛，睫毛像兩把小扇子，我們就成為好朋友。我在台中和他們玩了兩、三天，才發現這些女孩子一個個都喜歡「練丹」，所謂「練丹」就是吃迷幻藥、紅中、白板之類的毒品，而且癮相當大，一吃就是三、五顆，吃下去不久之後就神志不清。她們鼓勵我吃，說吃下去之後，會覺得很舒服，像在騰雲駕霧一樣，有飄飄欲仙之感；那種奔放和解脫的感覺，不是言語所能形容的。

不過當時我沒有接受，並不是我不喜歡那些東西，而是因為我是個逃犯，若服下那些藥物，萬一糊裡糊塗地把祕密說出來，或控制不住自己，胡亂打架鬧事，三、兩天就會被捉回去的，因此對這些玩意兒總是「敬而遠之」。

那些女孩子，除了在酒家、舞廳上班以外，還不時到外面去「釣凱子」，就是勾引一些有錢男人，從他們身上再弄些外快。我雖然和她們交往，卻一直隱藏著自己的身分；因為我懂日文，就對她們說，我是從日本來的僑生，沒事還露兩句日文，把她們唬得一愣一愣的。

在台中住了兩個星期，我們又回到了台北；這次回來，我們多了兩個人——小文和小青。我在我的公寓附近又替她們租了一層公寓。有一天，我帶小青去西門町，和一個朋友在萬年大樓的邁阿密餐廳見面；談過之後下來到樓梯門口，突然前面來了一對男女，我們彼此都大為驚訝。原來那個男的是張正國，三、四年前在板橋職訓總隊認識的那位朋友。因為按刑期來說，我們兩人都不可能在這個時候結訓，大家一見心裡都有數。

當時我和他身邊都有女朋友，不便說話，他就約我晚上在中山北路和錦州街口的國賓飯店見面；我把小青先送回去，十點鐘到了國賓飯店，他已經在等我了。

「老哥，你是怎麼出來的？」我問他。

「我是『閃』(即逃)出來的，你呢？」

「我也是。」

他出來已經三個月了，我則不到三個月。

我問他現在怎樣，他說在中山北路一帶混，與牛埔幫老大在一起。牛埔幫是台灣本省幫派中最大的一個，人數也很多，老大叫王哥。聊完了他的近況，他便問我，我說我在賭場裡替人要賭債，找機會馬外(即偷渡出國)去。就這麼越聊越起勁，剛巧王哥也來了，原來他也是從管訓隊「翹脫」出來的。我便打電話叫小力也出來，我們這一票，全都是管訓隊裡脫逃出來的牛鬼蛇神，現在呢？個個都是西裝筆挺，駕著轎車。大夥聊得開心，王哥就請我們一起到北投一家日本式的旅館——「迎松閣」去找樂子，我們在那邊飲酒作樂、找女人、吃喝享受。

應召站大張豔幟

由於大夥全是管訓隊出來的，格外聊得來，這時，我突然想起之前我在台中待的那幾個星期裡，曾經有十幾個女孩子和我提過希望能到台北來發展的事，我便把這件事情告訴他們，沒想到張正國一聽，便對我說正好，剛好他們現在也附帶幹這一行。因為中山北路的飯店很多，許多飯

店每月都得向他們繳納「保護費」，所以可以利用這些飯店作為「應召」服務的對象。

我對這方面算是外行，就把鄒鼎介紹給他們。

很快的，我們約了小文和小青一起在「迎松閣」開會。由於那些女孩子知識程度都不錯，而且還能講一口洋涇濱日語和英語，應付外國客人不成問題，當下我們就決定成立應召站，因為應召站的利潤很大，以日本客人為例，一個晚上陪宿代價是九千塊錢，旅館可抽三分之一，我們可以拿到三分之一，女孩子本身也是三分之一，而我們至少有十五個女孩子，除了夜晚陪宿之外，白天還有「休息」(即接客)，因此，收入相當可觀。

首先，我們約法三章，要求大家一定要嚴格遵守，因為，女孩子人數一多，如果不好好地管理，一定會出紕漏。而且依照規定，我們自己的兄弟，絕對不可以對那些女孩子有所企圖，兔子不吃窩邊草，這些女孩都是我們的搖錢樹，要找玩伴可以到外邊去找。

其次，就是替這十五個女孩子找住的地方。我們在士林為她們租了一棟豪華的公寓，在她們的房間裡裝置電話和祕密警示燈，免得警察來了，她們跑都跑不掉。出入都必須有暗號，沒有暗號絕不開門；有人打電話來叫小姐，也要使用暗號，沒有暗號，我們也一律不回答。

很快的，應召站開始運作了，紀秉忠也加入我們，女孩子也增加到近二十個。當時，我除了參與應召站的工作以外，仍然要出去要債，不過我還是繼續住在木柵，因為女孩子多的地方，最容易出毛病，我很看重自己的安全。

在那一段時期，我和筱玲曾見過幾次面，但很少和她談到我自己的事情。我知道她很關心

我，希望我也能和她一樣相信耶穌，雖然我對她所講的絲毫不感興趣，但是也不忍心澆她冷水。甚至為了討好她，我還向她表示過要決志信耶穌，和她一起禱告。事實上，我根本是在欺騙她，她也未嘗不知。

總之，筱玲和我所接觸的那些女孩子完全不同。那些女孩子都是沉溺在物質與情慾的火焰之中，而她卻純潔得像個天使一樣，引起我對她莫大的尊敬。

新仇舊恨

中國有句俗話：「可以共患難，不能共安樂。」歷史上的君王，如漢高祖劉邦、明太祖朱元璋，以及許多皇帝，一旦打下江山，穿上龍袍，登上皇位，就開始殺戮功臣。我和小力也是如此，在管訓隊裡及剛脫逃出來的時候，真是相依為命，現在有了錢，隔閡也就越來越大了。

他時常暗暗的把自己的錢藏起來，專門花別人的，而且還有很強的嫉妒心，嫉妒我的人面比他廣，他所認識的人，全都是我介紹的，讓他感到很孤單，沒有安全感。此外，我們規定應召站裡的女孩子是動不得的，可是他卻背著我們，和其中幾位搞七捻三、見一個愛一個，其中，他對一個叫寇敏桂的女孩子特別鍾情，但那個女孩對我十分注意，因此，她就透過小力來打聽我的消息。

有一次她問小力：「呂雄飛是從日本來的，他在日本有多久了？」（當時我一直化名「呂雄飛」）。

小力不屑地撇撇嘴說：「他哪裡是從日本來的，他是從管訓隊脫逃出來的。」小力一古腦兒的將我的底細全給抖出來了。

起先我並不知情，後來有一回，我和寇敏桂談話的時候，看她神色不對，追問之下，才知道小力所幹的好事。於是，我想找機會向他算算這筆帳。有一天，我和小力在國賓飯店，訂下一個包廂，我倆先到，其他被邀請的人還沒有來(我邀請的對象還包括竹聯老大陳其理)。我多喝了幾杯酒，心情不好，新仇舊怨一起湧上來。

我對小力說：「小力！你罩子(眼睛)放亮一點，順風(耳朵)也洗乾淨一點，好好聽我說。」

他被我這麼一說臉色馬上變了。

「你要放明白一點，不要過河拆橋。你在我『馬後』點我什麼馬？」(背後說了我些什麼壞話。)

「沒有的事！」他還想賴。

「你在寇敏桂那裡說我是從管訓隊脫逃出來的，有沒有？你存心想害死我！」我酒喝多了，越說越火。「我們脫逃爬牆的時候，你說你要站在上面，我在下面，你根本就居心不良，你想要佔便宜。你先上牆，萬一警衛發現開了槍，你可以跑掉，我就倒大楣了！到了卑南溪，我過了河，你過不了河，怕死不敢再過，反而要我再游回來，你是存心要我死，他媽的！」

我把所有的舊帳一一搬出來，索性一次和他算個清楚，他當然也不服氣，就和我大吵了起來，這時，我早已經不知道有幾分醉了，心裡一股氣湧了上來，我就老實不客氣，狠狠一拳打過

去，當場把他的鼻子打出血來。

他伸手一摸，都是血，就朝我撲上來，大聲叫道：「我和你拚了！」

我是跆拳二段，小力年紀比我小，體力也比我差，哪裡是我的敵手？兩三下就被我踢倒在地上，渾身是血。

這時候，王哥和幾個朋友及時趕到，就把我拉住說：「算啦！算啦！自己人還打什麼？」

我指著小力，憤怒的說：「他吃裡扒外，我非要他的命不可。」

說完，我還想再衝過去狠揍他幾頓，但他們把我牢牢抓住說：「好了！好了！自己人！自己人！」

這時，一身是傷的小力已經清醒過來，被人架到門口去，走之前還指著我說了狠話：「呂代豪！你給我記住，有一天我定要給你死！」

我也不甘示弱，對他的背影大喊：「老子隨時奉陪，你這個王八蛋，我還『馬戲』（害怕）你不成！」在我們的叫囂聲中，結束了這一場「內鬥」。

找個人揍揍好了！

因為小力隨時都有可能回來找我報仇，而且，也擔心被他「擺一道」（向警察密報），所以木柵這個地方，我是不能再住了，王哥便安排我住在北投的一棟公寓裡，這裡面住的都是些亡命之徒，刀、槍、子彈，什麼武器都有，不過佈置得很豪華，從外表看幾乎完全看不出是個殺手窩。

我就暫時住在那邊，不過，所謂「狡兔有三窟」，為免萬一有人來抓我時，會措手不及、無房可躲，所以我另外又在松山租了一層公寓。

有一天，我和鄒鼎、張正國為了這一票女孩子的事情去台中，經人介紹認識了一個人叫小胖，本名叫鈕苗勇。小胖是台中正氣幫第九批的老大，這個人相當豪爽，我們很談得來，就一起去喝酒、聊天，這一聊才知道，那天小力被我打了之後，就立刻打電話給小胖，因為他們倆是從小一起長大的，小力是他的手下，所以當然要替小力出口氣，於是，小胖就拿著掃刀，趕到國賓飯店來殺我，但我們已經去北投，沒有碰著面，否則免不了一場廝殺，現在談起來，大家都感到非常慶幸。

那天晚上因為在餐廳多喝了一點酒，我們就到靠近台中公園旁一個很豪華的飯店投宿，因為聊得很投機，晚上小胖就跟我一起睡。大約睡到兩點多的時候，我突然覺得睡不著，爬起來抽根菸，沒想到小胖不知道什麼時候也醒了，正躺在床上抽菸，我們兩個人都睡不著，但睡不著能做什麼呢？那麼晚了外面大概也沒啥樂子可以找了，我就隨口對小胖說，不然，我們出去走一走，找個人揍一揍好了。本來只是一句玩笑話的，沒想到小胖一聽，竟然同意了，我們便起床換衣服出門去了。

一路走到了隔壁的台中公園。一進公園，我們就看到一個男子在那邊抽菸，我們看這個人身材不錯，打起來一定很過癮，就過去找碴，果然三、兩句話不合，我們就打了起來，我一腳把他踢到台中公園的湖裡，他掙扎著起來，大喊：「救命呀，救命呀！」因為警察局就在旁邊，他喊

得又十分的大聲，為了怕引來警察的注意，我就趕快往公園外跑，一路跑回飯店去，這一夜果然就覺得比較好睡了。

現在想來，我那時除了喪心病狂、無聊透頂之外，可能暗中有和小胖較勁的心理，想向他秀一下我心狠手辣的本事。

我和小胖很投機，興趣也相像。在台中，我和小胖去幫竹聯幫要了兩筆幾百萬的債。我發覺小胖也是個要債能手，我倆一搭一唱，彼此很有默契，所以合作很愉快。回到台北之後，因為應召站的工作繁雜，十幾個女孩子又各懷心事，爭寵嫉妒，很難控制，時常有紛爭；加上我和張正國之間，漸漸的有了嫌隙，因為我和王哥交往太過密切，又將小胖也介紹給王哥，成了王哥的心腹和手下大將，以致王哥慢慢地冷落了張正國，再加上我無意中又說了得罪他的話，心地較狹窄的他，自然就和我疏遠，我便決定脫離應召站的工作，不再和他共處。

這個時期，我和筱玲的友誼開始有了進展。我們一星期見一次面，平時，我穿衣服都比較隨便，可是每次去見筱玲，我就會打扮得整整齊齊的。當時，我身上帶著一本上面貼有我的照片，且蓋有偽造鋼印的馬來西亞護照，加上我的英文和廣東話都還算不錯，所以沒有人知道我真正的身分，我要去哪裡都可以，住飯店也不怕盤查詢問。

我和筱玲常常一起出去郊遊，或是在餐廳裡聊天。我們在一起並不是像我和其他的朋友一般的胡謅，她會和我談些生命的問題，也會問我是不是永遠就這麼下去。我告訴她，台灣待不下去，只有想辦法偷渡出國；我第一次偷渡不成，被送到管訓隊去，第二次一定會小心；將來到了

國外，再重新做人。她很關心我，時常傳福音給我，可是我滿腦子都是犯罪思想，所以聽不進去。

但無論如何，只要跟她在一起，我就會覺得心裡很輕鬆，不需要戒備和武裝，不像和那些亡命之徒在一起，天天都得心驚肉跳，草木皆兵。所謂「近朱者赤，近墨者黑」，和這麼一個心地純潔的女孩子在一起，我就能感染到她的平安和喜樂，也才覺得自己是在過一個正常的生活。

惶惴終日

一個逃犯的生活，無時無刻不充滿著緊張和戒備，像走在懸岩峭壁上一樣，危機四伏。有一次，我和小胖去要一筆賭債，對方是一家公司的老闆；我們沒有到時他已經知道了，而且報了案，我們還不曉得。老闆一直在應付我們，後來聽到樓下有車子和人的聲音，我心中立刻有了警覺，打個手勢給小胖，拿出手槍對著老闆的頭，拉開保險。

「你報警了嗎？」我問他。

「沒有！沒有！」他的面色變青。

我把子彈上了膛，又問他：「你老老實實地說，有沒有？」

他大叫：「饒命！」

這時候樓下的鐵門開了，我知道是警察，就說：「小胖，走！」

有人衝上來叫著：「不要動！」

我馬上朝那邊開了一槍，槍聲很大，嚇得那些條子立刻伏在地上，我們衝進廚房裡（還好公司是在二樓），打開窗子，不顧一切就往下跳，受傷了也不管，只是拚命地跑。到了巷子口，我們的汽車停在那裡，幸虧把鑰匙留在車子上，所以很快就開走了。回到北投，兩人全身都是傷，請人來按摩塗藥，在床上足足躺了一個星期，大嘆江湖險惡，人心難測。

還有一次，我騎著一輛山葉牌重型機車，是個飛輪子（偷車賊）的老手送給我的贓車，載筱玲由淡水回來，要送她回八德路。可是，到了中山北路和民族東路交叉口時，遇到了紅燈，我馬上向左轉，對面有一輛警察的機車躲在角落裡，看我犯了交通規則，就發動車子，立刻來到我的面前。我馬上緊急煞車，對筱玲說：「妳快下車自己回家！」

警察要我把行車執照、駕駛執照拿出來，我身上沒有，但仍對他笑臉相迎，嘴裡連聲說好，一面將車子往後退。

警察看出我的企圖，冷冷地說：「怎麼？你還想跑啊？」

我將車子一個掉頭，就往中山北路飛馳，警察的車子是五百西西的BMW，比我的車子要大多了。我拚命加油，他拚命地追。我加到每小時一百多公里的速度，他的速度比我更快，並且警報器大作，搞得我心慌意亂。

到了民權東路時，他越追越近了，我就往右邊小路裡繞，他的速度比我快，經驗也比我足，最後我竟然被追進一條死巷，前面擋著一道牆，我只好緊急煞車。

他說：「看你跑到哪裡去！」

我已下了車，他還在車上。我不管三七二十一，飛起一腳踢在他的安全帽上，把他踢下車子，他的機車也隨著倒下，他就躺在地上爬不起來，一直呻吟；我便趁這機會，發動機車跑掉了。像這樣驚險的鏡頭，曾發生過許多。我每天要面對三種人：黑道分子、警察和欠賭債的，過著刀尖舔血、惶惴終日的生活。

爭風吃醋

我在黑社會裡混，偶爾也會帶筱玲一起去參加我的那些「社交活動」，或是帶她去酒家和舞廳，見識見識。那時候，她剛好考上國立中興大學的社會學系，對人生百態有很大的興趣，並不排斥我帶她去的地方，但她是個虔誠的基督徒，當然不會和我同流合污，只是把她所見到的記在日記本裡，作為她人生的經驗。

我曾交過不少的女朋友，大多都是些風塵女郎，我清楚的知道，對她們，我不過是逢場作戲而已，我心裡真正喜歡的人只有筱玲，而且我知道自己已經開始愛上她了，為什麼?從一件事情上可以看得出來。

她進了中興大學之後，時常和我談起學校裡的生活點滴，她提到大學裡有不少的社團，其中有一個演講社，叫「滔滔社」，那個社長對筱玲頗有好感，每次都要送她回家，筱玲不要他送，對方非送不可。有一天，筱玲在無意中對我提及此事。我就把這件事放在心裡。

本來我認為，一個大學生免不了有這個追、那個追的，這是很正常的現象，沒什麼了不起。

萬萬沒想到，那個「滔滔社」的社長，居然在幾個人面前對筱玲告白：「陳筱玲，我請你知道一件事情，我現在開始要追妳了。」我一聽筱玲說起來，心裡就有氣！

有一天，我跟小胖去要債，債主恰巧就在筱玲家附近，我跟小胖站在路口正在談事情時，突然有一輛計程車開過去，眼尖的我剛好瞄到車上坐的正是筱玲和一個我不認識的男孩子，我心裡老大不舒服，本來還按捺著，沒有想到小胖也看見了，他轉頭對我說：「代豪，我看到筱玲在車上，旁邊有一管杏子(一管杏子就是「一個男人」)。」我就把有人追筱玲的事情，告訴了小胖。小胖聽完，立刻拉著我就往前走，一邊走，還一邊說：「走，我去扁一扁他，替你出氣！」小胖的這個舉動，將我隱忍的一肚子氣給激了起來了，我想，連朋友都要替我出氣了，我還能不給他點顏色看看嗎？當下就決定一定要給那個什麼社長的嚐點苦頭。

我和小胖到筱玲家門口時，正好看到那個男的從她們家樓下出來，而且還一直回頭朝五樓看。我想大概不會錯了。我一邊請小胖先上前確認，一邊將手錶和皮夾克脫下來放好，一方面是怕手錶在打架的時候被打斷，另一方面也怕皮夾克裡的手槍會掉出來，可是，就在我還在做打架前的準備動作時，一轉身，只見小胖早已一拳揮了出去，我當然不能讓小胖一個人專美於前，因此，我馬上一個飛旋踢踢上去，那個男的應聲倒地，這時，我早已經打到失去理智了，我不停的朝他的臉上狠狠的出拳，一拳比一拳狠、一拳比一拳用力。

正在打得起勁，突然聽到樓上有人大聲叫：「不要打了！不要打了！」是兩個女人的聲音，那聲音不是別人，正是筱玲和她母親。我停下手，這才看到我滿手都是血，而對方早已躺在那

邊，幾乎不能動彈了。我回過神來，連忙拿了外套，和小胖匆匆閃人。

第二天我跟筱玲通電話的時候，她哭得泣不成聲，她告訴我，那男孩被我打得滿臉是血，不但腫起來而且裂開來。筱玲與她母親一再的道歉，並解釋說是附近的流氓想追筱玲追不到就打追她的人出氣。那個人無奈的跟筱玲說：「妳不要我追妳，也犯不著找打手來打我。」從此以後那個人再也沒有去找筱玲。

我一向自認是個心胸很寬廣的人，但由這件事看來，我實在嫉妒心太強，對方只是送她回家而已，竟遭到這種無妄之災，我實在太蠻橫、霸道了。這是我感到非常遺憾的一件事。

另一方面，在我狂放不羈的外表下，在我好勇鬥狠的野性之外，我不得不承認，我愛上了筱玲，無可自拔地。

環島之旅

那時候，吃、喝、嫖、賭、偷、搶、騙，我樣樣都來，幾乎天天都在犯罪，也經常和人動刀動槍，沒有一天不是過著紙醉金迷和刀口舔血的生活。

由於年關已近，賭場裡有不少的支票到期，要我們去收錢。我們一連要了好幾筆數目較大的賭債，撈到了一筆錢，我、小胖和紀秉忠就買了一輛全新一千六百西西的福特跑天下，因為之前的那輛二手車經常出毛病，總在危險關頭發不動。除此之外，我也想，偷渡出國的時機也該成熟了，再留在台灣，遲早有一天會回到牢裡。我請紀秉忠去想辦法，這方面他的門路比較多。

據東港方面來的消息說，明年三月份可以上船，他們已經替我們安排好去香港的船，我們就積極地準備一切，但由於高雄還有幾筆債要去討，我們便買了張地圖，準備了二十萬現金，決定在走之前，先痛痛快快地在台灣玩三個星期，因為這次離開後，不知道哪年哪月才能再回來。

於是，在農曆新年時，我偷偷跑回家一趟，給弟弟妹妹留了不少錢，還給母親買很多的禮物，還到筱玲家裡向她跟她的母親告別。

二月十九日(大年初二)那天，我們從台北出發，一路由貢寮、花蓮、太魯閣、天祥、梨山、谷關，到台中、阿里山，再到台南、高雄，玩得不亦樂乎。在高雄住了兩天，我們轉往屏東，由屏東再到墾丁公園，晚上下榻墾丁賓館；翌日暢遊墾丁公園，拍了許多照片。墾丁當時是全台灣唯一的國家公園，風景很美，我們玩了一整天；第二天又去其他名勝如四重溪、佳樂水、鵝鑾鼻等遊玩，又洗溫泉澡。

三月三日早晨，我們去賓館二樓餐廳吃早餐，順便看看當天的報紙。一打開報紙，報上斗大的標題立刻吸引了我的目光，仔細一看，原來是在屏東發生了一件血案，有一個女學生叫鍾正芳，被人姦殺，她只是個美和中學三年級的學生，被人強姦之後殺死，丟在水池裡。這件案子轟動了整個屏東市，警方立刻成立專案小組，來調查這個案子。

有目擊者指出，在血案未發生之前，看到鍾正芳和三個男人共乘一輛轎車出去。三個人之中，有一個人個子比較高，約有一百八十公分，因此警方立即查緝這位年輕人。我們看到這個新聞，真是大吃一驚！怎麼這麼巧？我們也是三個男人，我身高也剛好是一百八十公分，最主要的

是，我們也是共乘一部轎車，而且，我們正好在案發的現場——屏東！

這個案件，讓我們打消了原本還想在屏東多住幾天的念頭，我打電話到左營，給替我們安排偷渡的楊先生，約好晚上去他家拜訪，然後就退房間，結了帳，中午往高雄出發。我們決定早點回台北，準備上船。

我看你往哪裡跑！

下午一點到達高雄市區，仍然住華園飯店。華園飯店前面有個停車場，我把車子停在停車場裡，就有服務生推著車子來，將我們的行李都搬上去。

我們住在六〇二號房，一進到房裡，我脫下外套、解下領帶，正想好好的洗個澡休息一下的時候，外面突然有人敲門。我們以為是服務生送開水來，就去開門，不料門才一打開，六個彪形大漢立刻衝進房間，將我們包圍住。我想這是警察臨檢，所以裝作很鎮靜。

「請問有什麼事？」我用廣東國語問他們。

「我們是來臨檢的，請拿出你們的身分證來。」我滿面笑容地拿出那本馬來西亞護照，因為偽造得好，我一點都不擔心。

六個刑警仔細地看過之後，其中一個問我：「你是從馬來西亞來的？」

我點點頭。他又問：「你叫什麼名字？」

我回答：「陳忠明。」

沒想到，那個刑警卻用懷疑的口氣又問了我一次：「你不是陳忠明吧？」

我心裡開始緊張了，但表面上還是盡量裝作若無其事的樣子回答他：「我是陳忠明。」

原以為這麼說，應該可以過關的，但事情卻完全出乎我意料之外，那名刑警竟然很肯定的對我說：「你不是陳忠明，你是呂代豪。」

我一聽他這麼說，魂都嚇飛了。天哪！他怎麼會知道？但我仍然用最堅定的語氣對他說：「對不起，你弄錯了。」

但顯然是沒有用的，那名刑警根本不理會我，他說：「不管你是誰，都跟我們上警察局去再說。」

華園飯店的後面就是高雄警察局，走路只要一分鐘。我心裡一直想不通，他怎麼會知道我是呂代豪呢？難道是有人出賣我們嗎？這飯店是我們臨時決定進住的，楊先生根本不知道我們要住哪裡，自然不可能出賣我們，至於小胖和紀秉忠更不可能。

那短短的時間裡，我的心裡閃過千百個念頭，我告訴自己，一定要逃，不逃就慘了，只要一被逮回管訓隊，後果一定不堪設想，於是我對刑警說：「好，等我穿好衣服。」

穿好衣服，我們三個人便一起被刑警帶下樓去，早有脫逃的心理準備的我，電梯門一開，我就像箭一般地衝出去，刑警想抓住我，卻沒抓到，可是當我跑到大門口，卻不得不緊急煞車停了下來，因為門是自動的，就在等玻璃門開的那一剎那，六個警察一擁而上，將我抱住，我死命的掙扎，不停的揮拳亂打，但畢竟他們人多，我根本動彈不得，眼見大勢已去，我只好停止掙扎，

他們立刻將我反銬起來。

其中一名刑警還冷冷的對我說：「我看你往哪裡跑！你再跑看看！」於是連拖帶拉地把我送到警察局，銬在一個鐵架上。

因為我剛才反抗得厲害，所以也挨了他們好多拳，鼻青臉腫、血跡斑斑；進了警察局後就一直嘔吐，吐完了，他們給我水喝，我便坐下來喘氣。然後他們就開始問話。

我說：「不用問了，我就是呂代豪。」

紀秉忠和小胖也被帶來警察局，但是他們都有正當的身分，又不是現行犯，手上也沒有犯罪的證據，所以沒有什麼好害怕的；警察又查問一下他們的身分，他們都沒有被通緝。我對警察說：「快把我送法院吧，我沒有什麼好說的。」

他們問我脫逃之後做了些什麼？我說是在做零工；問我為什麼穿得那麼漂亮，又開著這麼一輛全新的轎車？我告訴他們，車子是紀秉忠的，我是跟他們一起出來玩；問我有沒有犯案？我說沒有；又問我的護照是哪裡來的，我說是在台北街上撿到的，只是換上我自己的照片。筆錄問完了之後，他們就準備要送我去法院。

在被送走之前，我找了一個看來比較和善的刑警，他姓謝，問他：

「對不起，謝先生，請你幫我一個忙，告訴我一下，你們是怎麼找到我的？」因為我實在想不通，究竟他們是怎麼知道我在華園飯店的？本來他不肯說，可是禁不住我再三追問，他才告訴我。

原來當我把車子開到華園飯店的停車場時，旁邊攤子上有一個人正在買香腸吃，他是剛由岩灣職訓總隊結訓出來，是警方培養的線民。他一看到我，馬上就認出是我，立刻跑去報警，把我的特徵全都告訴了他們。我聽了自然是氣得要命，就請他告訴我那個人的名字，他不肯，我甚至還把手上價值五、六萬元的勞力士手錶脫下來，要和他交換那個人的名字。

但是，他搖搖頭，把手錶還給我，說：「錶，你自己留著用吧。我怎麼可能把他的名字告訴你呢？如果我說了，以後還會有誰敢來密告？」

臨走前，我交代了一些事給小胖和紀秉忠，並請他們將我的情形告訴筱玲，要筱玲速來看我。此外，我還暗示他們，只要有機會，我一定還會出來，就是拚了命也要脫逃！他們叫我先養好傷再說，因為那時候我全身都是傷。

一九七六年逃亡時所收藏之刀械。

重返囹圄

好長的一段時間，我在各個監獄間來回，我知道，我不屬於這裡，但，唯一離開這裡的路就是：逃！我想襲警跳車，卻又矛盾地向神求告，我迷惑了，究竟我該不該逃？

一九七六年逃亡期間在某山區狩獵。

走一步算一步

我當天晚上就被送到鼓山一路的高雄地方法院看守所。臨走前，紀秉忠和小胖拿了兩萬塊錢給我。到了看守所，我被編入第三工廠，工廠的大組長叫郭正瑞；他由岩灣管訓出來之後，又殺了人，被判重刑，在看守所第三工廠裡當大組長。我們過去認識，交情還不錯，他馬上設法將我調到他的舍房裡，由於我一身都是傷，他請人來替我按摩敷藥。

到了那裡第三天，小胖和紀秉忠就來看我，到了會客室，我才發覺筱玲也在，我們隔著玻璃窗用電話交談，我叫她不要擔心，我很好，馬上就能出去的；她勸我不要再胡思亂想，好好禱告認罪。那時候我實在聽不下去，只是虛與委蛇，應付她一下。我又和紀秉忠、小胖講話，我說我把傷養好之後，一有機會就閃出來。他們又問我有什麼需要，我說我不需要什麼，我仍然有兩、三萬元，足夠用的，叫他們不要擔心。談話時間很短，只有十到十五分鐘，時間一到，電話就被切斷，我便揮揮手叫他們回去。

我每天都在舍房裡運動、在原地跑步，運動完，就有人來替我按摩，一面吃傷藥。大約七、八天之後，為了護照的事情出庭，因為案子不大，只是侵佔遺失物與偽造文書，我申請易科罰金，就蒙批准了，接下來就是脫逃的事情。我是由台東脫逃出來的，台東地方法院發出通緝令，所以我必須回到台東歸案。

我開始盤算，一旦被送到台東地方法院歸案，脫逃的機會就少了，也就是說，如果要想脫

逃，只有在由高雄到台東的這一段路上還有些機會。

按照一般的規定，每一個犯人是由兩個法警押送，犯人戴著手銬或綁著繩子都不一定。由高雄乘直達車去台東，這段路程大約是七個小時左右，之後，再四個小時左右的車程，就會到達楓港，由楓港開始，就進入了山區，一路上就是深達幾百公尺的懸崖峭壁。

我在看守所裡待了十天，傷勢已漸漸復元。一天下午，我正在和人聊天時，突然有主管叫我的名字，要我收拾東西準備移送台東。乍聽這個消息，我心裡是又緊張、又高興，馬上就去整理行李，並一一和朋友們告別，互道保重。

我被帶到中央台，就是檢查行李的地方。行李檢查過後，法警就來了，替我戴上手銬。我在第三工廠的時候，已經有人為我準備了一把萬能鑰匙，是開手銬用的，我偷偷地藏在袖子裡。沒想到法警在我手上加了兩副手銬，又拿鐵絲將手銬上的洞穿起來，用鉗子夾得緊緊的；我的心裡馬上涼了半截，現在就是有鑰匙也沒有用了。除非把上面的鐵絲夾掉，可是哪裡來的鉗子呢？更何況還有法警一步都不離開的坐在我的旁邊，根本就不會有機會，只有走一步算一步了。

有一個法警對我說：「呂先生，我們現在要送你去台東，希望我們在路上彼此合作！」

我回答說：「當然，我們彼此尊重，你們尊重我，我一定也尊重你們，大家互相互相！」

主啊！我該不該逃？

他們替我背行李，坐計程車先到法院辦手續，再到火車站對面的公路局車站，買了金馬號車

票，然後帶我上車。那時，我戴了兩副手銬，加上一大堆行李，走路的樣子蹣跚可笑，加上我心情很惡劣，一上車，原本吵雜的旅客們，紛紛對我行注目禮，為了掩飾自己的脆弱，愛面子的我忍不住大喝一聲：「看什麼看！犯人有什麼好看的，再看把你們的眼珠通通挖出來！」嚇得很多人趕快低下頭來看別的地方，我才大搖大擺的走到我的座位上。

法警安排我坐在走道左邊中央靠窗子的位子上，一個法警坐在我旁邊。他把窗關上，又拿出鐵絲，在關起來的部分，用鐵絲繞了幾圈；不但是我旁邊的窗子，又把前面、後面的窗子都繞上了鐵絲。這樣做完之後，他才坐下來，並請我抽菸。不久，車子就開了。他問了我過去的一些歷史，我一邊應付他，心裡則不停的盤算著該如何脫逃。

聊了一個小時，我們都有點疲倦了，我就開始閉目養神，心裡盤算著，我脫逃在外才八個月，那些當初因我的脫逃而被記過處分的官長們，大多仍在原來的崗位上，沒什麼調動，如果我被送回去，一定有的是苦頭吃，所以，我必須在車上脫逃。我仔細的算了算，我身上還有兩、三萬的現金，身上穿的是便服，頭也不是光頭，這時候逃，囚犯的身分比較不容易被發現，可是只是該用什麼辦法來突圍呢？怎麼把手銬打開呢？

想來想去只有一個辦法，就是——毆打法警，然後跳車。

我開始觀察，坐在我後面那個法警從上車到現在都在閉目休息，所以不是問題；至於在我旁邊的這個，我只要用力打他的頭，應該就可以把他打昏，然後，我就可以從走道上衝到門口，威脅司機停車，司機也許會被我嚇住而停車，這時，我就可以把門打開跳下去；但是車子速度很

快，跳車太危險了，萬一跳不好，摔死或終生殘廢都划不來，不過，只要一想到回去之後的慘況，我就決定破釜沉舟，孤注一擲。

最後，我決定車行到楓港時，展開行動，因為車子到了楓港，會有十分鐘的休息時間。

不久，車子便到了楓港，司機說：「現在休息十分鐘，旅客們要下車的可以下車，去上廁所或買東西，十分鐘後開車。」

坐我旁邊的那位法警問我要不要去上廁所，我說不要去，這位法警就陪著我留在車上，另外一位法警要上廁所，就下去了。旅客們多半都下車去走動，因為坐了幾個小時的車子，大家手、腿都有點發痠。

我假裝閉上眼睛，實際上卻偷偷地瞄著窗子外面，這裡周圍都是山，如果在這裡行動，把法警打昏後，往山裡面跑，成功的機會應該很大，至於行李就不要了，反正身上還有兩、三萬塊錢。

雖然還是有點害怕，但還是決定開始行動。我舉起雙手，悄悄的往窗子邊移動，這樣的力量可以大一些，才有可能一次把法警打昏。就在我高高地舉起手，就要用力朝他眼睛打下去時，他突然轉過頭來看我，頓時，我嚇出了一身冷汗，幸好我反應快，馬上在耳後根猛抓，假裝成在搔癢的樣子，而他也沒有察覺異狀，又和我聊起天來。

十分鐘很快就過去了，另外一個法警買了檳榔上來，旅客也紛紛上車，車子開動的同時，我心裡難過極了，因為我失去了一個逃脫的大好良機。

車子進入了山區，因為山路彎彎曲曲的，所以車行的速度並不快，如果這時候跳車，危險性相對的小些。這時，原本坐在我旁邊的那個法警，已經換到後面去睡覺了，後面那個便坐到我的旁邊，我心裡想，我如果打了法警而沒跑成，不但得多加上傷害和妨害公務的罪名。而且他也一定會報復我，所以，如果沒有十足的把握，就千萬不要跑，若跑不掉，可就更慘了。

我心中一直在喊：要跑！要跑！可是卻又猶豫不決，想到我這一生，幾乎都是過著逃亡的生活，如果這次再脫逃成功，我將永遠都這麼逃下去，將來也不會有什麼太好的下場。再說，如果不幸把那個法警打死了，我一定會被判處死刑；但不打死他，把他打成重傷，也要判上十幾年有期徒刑。難道，這就是我的未來？我一輩子真的就這樣壞下去嗎？

這時候，我突然閉上眼睛禱告，我是從來不禱告的，只有在筱玲面前，和她一起禱告過，當時也是「小和尚唸經，有口無心」。可是現在，我竟然開口禱告了。

我說：「主啊！我想逃，但不知道該不該逃？如果我不逃，回去後要受嚴厲懲罰；如果逃的話，一旦成功，我將永遠壞下去，如果不成，後果不堪設想，我不知道該怎麼樣才好，求主指示我該怎麼做！」

禱告之後，我望著車窗外面，忽然看到天上出現一道彩虹，我從來沒有見過這麼美麗的彩虹，我看呆了，車上的乘客也發現了，紛紛叫著：「好美麗的彩虹啊！」這時，有一種說不出來的平安，籠罩在我心頭，我覺得上帝好像在對我說話，要我稍安勿躁，不要胡亂出此下策，於是我決定暫時放棄脫逃的念頭，等以後再作打算。

當我放棄了這個念頭時，我的臉色就自然和緩多了，不再像先前那樣緊張，甚至開始和法警有說有笑。

當天下午，我們到達台東，法警把我送到台東看守所，完成移交手續。當法警替我解開手銬時，我對他們表示感謝，他們也謝謝我的合作，但就在他們臨走前，對我說了一些話，讓我不得不為自己捏了一把冷汗。

原來他們在和我初見面時，看我的言行舉止和神態，加上我的脫逃前科，以他們押解人犯多年的經驗，就預料我可能會脫逃；所以一路上，他們都非常小心，以防我會趁機脫逃。因此，坐在我後面的那名法警，表面上是在睡覺，事實上則是全神戒備的，甚至在楓港休息十分鐘時，那名法警並不是像我想的一樣，是去上廁所，而是躲在車後，拿出手槍，預防有任何狀況發生。

我聽了以後，心裡暗暗的感謝上帝的保佑，如果不是祂，我差點就自掘墳墓了！

牛郎織女，隔牆相對

法警把我送到台東看守所之後，管理員立刻就把我銬上腳鐐。我向他們抗議，我沒有犯錯，為什麼要銬腳鐐？他們說，這是這裡的規定，凡是有脫逃紀錄的人，都必須銬腳鐐。銬好之後，我就被送到二樓。

進了四房，一眼就看見了李明輝，這個人是我在管訓隊認識的，過去我很照顧他，老朋友見面自然十分高興，一掃我因為上了腳鐐心中所產生的不快。他也是脫逃案受審，是本房房長，房

裡大約有七、八個人，裡面不乾淨，味道很不好；我一進去就要大家大掃除，清除每一個角落，整理得乾乾淨淨的，味道也好多了。這個地方可以說是我們管訓隊員的地盤，我身上又有好幾萬塊錢，再加上我跆拳二段的頭銜，所以還算被尊重。

那時候，和筱玲的通信一直沒有間斷過，她至少每兩天來一封信，為了避免混淆起見，我們在每一封信都編上了號碼。有一天她告訴我，她在青年節有十天的假期，將要和紀秉忠、小胖一起來台東看我，於是我每天都引頸期盼著，好不容易等到了三二九，她終於來了，但和她一起來的並不是紀秉忠和小胖，而是一個叫陳杏梅的女孩子。陳杏梅是筱玲的朋友，我也和她很熟，她在台北做事，家住在花蓮縣的玉里鎮。

我問筱玲為什麼紀秉忠和小胖沒有來？她說因為一直沒有他們的消息，聯絡不上。那時，我的心裡就有個奇怪的感覺，為什麼會聯絡不上呢？但是，由於會客的時間有限，所以我沒有再多問。筱玲告訴我，按照台東看守所的規定，必須父母、子女和配偶三等親以內的家人才可以探監，朋友則一律不可以，為了要能見到我，她去找警衛科長，說她是特地由台北搭飛機來看我的，請警衛科長特別通融，經過她的苦苦哀求，警衛科長才同意讓她和我會面，但也告訴她下不為例。

聽她說這一段過程，我心裡實在很難受，心疼她受的委曲，但一想到她來十天，卻只能和我見這麼一次面，那種感覺更是讓我肝腸寸斷。但，既然是規定，想來也很難被改變，為了想要多爭取一些見面的機會，我想到一個變通的辦法，我對她說：「妳出了大門之後右轉，可以在圍牆

前面的路燈下站著，我在二樓可以看見妳，我們還可以講話。」

因為二樓離那個路燈很近，往來行人講話的聲音，都可以聽得清清楚楚，於是我們就這樣約好了。我再指指腳上的東西，她看不見，我就用力跳起來，她才看到我的腳鐐，立刻顯得很悲傷，我揮揮手叫她不要難過，告訴她這是小事情，不痛不癢的，算不了什麼。我回到舍房之後，馬上將棉被墊高，然後站在棉被上看窗外，果然過了一會兒，筱玲便在路燈底下出現了，我倆遙遙相望，有如牛郎織女一般。

為了怕被巡查的主管看見，也避免哨台衛兵過來干涉，我們講話聲音不敢太大，只能輕輕地說，並不時的搭配手勢來表達，就這麼講了大約一個多小時才離開，臨走時還說，第三天還會再來這裡看我，因為她要去杏梅家裡。

第三天她又來了，但是杏梅沒有來，我問她是什麼原因；她說杏梅接到妹妹來信說要結婚，請她回去當伴娘。當時我很擔心，因為筱玲在台東並沒有什麼親戚朋友，我問她住在哪裡，她說她要在旅館裡住八天，因為她的飛機票劃好日期是八天以後的。

每天，她一吃過晚飯，就會來到路燈底下，我倆就這樣面對面相望，有時候默默無言，四目相對；一個是自由身，一個卻是階下囚，精神上有說不出來的痛苦。一回到旅館她就寫一封信給我，其中有一段這麼說：「代豪，不要認為你又失去了自由，這正是你蒙恩的開始；脫逃總有一天還是要被捉回去的，現在不要胡思亂想了，這是你被上帝拯救的機會……讓我們隔牆共勉！」這些話，我當時一直沒有辦法接受。

在那十天當中，她每天都來看我，而且每一次都送菜與水果來。雖然我們不能夠在會客室見面，但幸好我的舍房是在二樓，沒有圍牆擋著，所以雖然一個在牆內，一個在牆外，但還能見到面、說到話，已經是幸運的了。

只是我的心情是如此的複雜，有時候我堅信這世界上最儼美的愛情，一定可以跨越生命中有形與無形的圍牆，但多數的時候，我是忐忑的，我不敢相信這麼純美的女孩會等我，等著我許諾一個未必看得見的未來，但是想到若有一天，有另外一個男孩取代我，將照顧她，給她幸福，我的心就有如刀割，寸寸要淌下淚來。

問題是，像我這樣的人，十惡不赦、刀尖舔血，我有什麼資格談愛？

時間過得很快，十天後筱玲返回台北，我也去台東法院出庭受審。法官問我有沒有脫逃，我當然不能說沒有；他又問我為什麼要脫逃，我就編了一套謊話，說那時候母親生病，請假不准，只好出此下策，請法官原諒。法官就判我六個月的徒刑，如果易科罰金的話，一天是以銀元三元來計算。

那時候我才關了一個月，但是我知道在台東法院要申請罰金是不可能的事，於是我上訴到高等法院花蓮分院，不久，我就被法警押往花蓮分院的看守所，一樣被銬上腳鐐。到了舍房裡，房內有四個人，我差不多都認識，都是管訓隊的人，有脫逃的，也有殺人的，大家彼此都很照顧。在黑社會裡混，或在監獄裡蹲，人面熟這一點對我倒是很方便的。

有一次，小胖的父親特地坐飛機來看我，令我受寵若驚。我問小胖和紀秉忠的近況，他也不

太清楚。我就請他幫我想想辦法，因為我一直在擔心管訓隊的事情，希望能不回到那裡去。但是，我是從管訓隊裡脫逃出來的，非回去不可，除非能有相當的人事關係。他答應去替我試試看。

七顆小白石

在花蓮這段日子裡，筱玲幾乎天天寫信給我，一直要我認罪悔改，但我一直硬著頸項。幾天後我接到一張傳票，五月四日將要開庭。我就寫信告訴筱玲。開庭的時間是在五月四日下午三點鐘，五月四日一早忽然有人來看我，我想，這時候還會有什麼人來呢？卻沒有想到是筱玲，我高興得不得了。

我問她：「妳今天不是要上課嗎，怎麼又跑來了？」

「請假。」她說。

我深深受到感動，現在回想起來，單單男女之間的愛，是不能夠使她做到這個地步，三番兩次從遙遠的地方坐飛機來看望一個頑固不化、毫無前途的囚犯，這乃是因為上帝的愛和拯救我的使命，在她的心裡頭奔騰的緣故。可惜當時我卻領會不到這一點。

我對她說：「筱玲，我今天下午三點鐘要開庭，你可以留下來嗎？」她答應了。

到了下午，我坐拘留車去花蓮高等法院，整個法院，只有我一個人出庭；到達法院時，筱玲已經等在那裡了，我向她打了個招呼。進了法院，我便被關在拘留所裡，一直看不到筱玲；沒有

多久我就被叫出去。法官一共有三位，其中一個問我為什麼要上訴，我說，申請罰金。

他說：「地方法院不是判你罰金了嗎？」

我說：「判是判了，但是申請不准。」

於是他們研究我的案情和脫逃的動機，然後將我押回拘留所。在回拘留所前，我央求法警無論如何讓我和筱玲再談一次話，因為她是特地由台北趕來看我的。因為我一再的拜託感動了法警，他們允許筱玲和我隔著一道鐵欄杆談話。

她將手扶在鐵欄杆上，我手握著她的手，一時之間相對無言。這時，筱玲從口袋中掏出七顆潔白的石頭給我，很漂亮的七顆石頭，我問她怎麼會有這七個石頭？她說她在等著跟我見面的時候，因為時間還早，她就到法院的對面走走，大約一百公尺的地方是一個海邊，她在海灘上面看到石頭很漂亮，就撿了七顆，洗乾淨了送我，我聽了十分感動，就把這七顆白的石頭放在口袋裡，一直到現在，這七顆石頭我都還保留著，放在我書桌的抽屜裡面。這段往事，我曾在「聯合報」發表過一篇文章叫〈七顆小白石〉。

當時，我握著筱玲的手不知道還能說些什麼，只有請她不要擔心，我很快就會出去。

她說：「我不是在擔心你會不會出來，我是在擔心你有沒有悔改。這是你一個蒙恩的機會，你千萬不要放棄，你有沒有接受耶穌做你的救主，求祂帶領你一生的道路？」

我顧左右而言他，沒有正面回答這個問題。我們談了十分鐘，在法警一再的催促下，她才離開。

過了一週，我接到高院判決書，我的上訴被駁回；我想我已經被關了兩個月，還有四個月，忍耐一下也很快就會過去的，誰知道，有一天突然有辦公室的人找我說：「呂代豪，繳罰金啦！」原來我申請罰金已經准了。

我簡直不敢相信，因為犯脫逃罪，罰金多半是不准的。根據以往的經驗，只有判六個月以下徒刑的人可以繳罰金，後來因為有很多人相繼脫逃，以致職訓總隊就開會，向法院提抗議，以後就不許繳罰金了。

我一共被罰了一千多塊錢。我一付清了罰金，就被送回管訓隊。

你終於回來啦！

一九七七年五月，我被送回岩灣職訓總隊。

在兩名法警的押解下，還給我上了兩副手銬，所以不太可能有機會脫逃。上了火車，我簡直像被押送法場去槍斃一般地戰兢。之前，我曾見過脫逃後被捕回籠的人，回去後所受到的折磨，那簡直是慘無人道的，但是無論再怎麼怕，如今也還是得回去了，再說我是自討苦吃，又怪得了誰呢？

在火車上，我越想越膽戰心驚，但回頭想想，反正船到橋頭自然直，大丈夫敢做敢當。況且我已成了好訟刁民，精通法律，諒他們也不敢把我怎麼樣。如果他們罰我罰得太過分，我就準備一紙狀子遞到法院告他們。

即便是心裡已經這麼告訴自己了，但是，下了火車，上了法警叫來要送我去岩灣的計程車，心裡還是免不了緊張得七上八下的。

回職訓總隊之後，法警把我帶到行政組，辦理交接手續。行政組有個黃少校一看見我就說：「怎麼？呂代豪，你終於回來啦！」語氣大為諷刺。

他又對旁邊的人說：「這個人就是去年脫逃的那個傢伙，我對他印象最深了。這傢伙神通廣大，追都追不到；還冒大隊長的名義騙人，又把一個警務官整得好慘。」我實在哭笑不得，不知說什麼才好。

法警走了，行政組就打電話到新收隊；過一會兒，一個隊員來將我帶去，編到第五隊。隊長叫唐志銘，以前也曾當過我的隊長，所以認識我。

他看見了我也說：「呂代豪，你回來啦！你終於回來啦！我看你本事還是不行嘛！」

我悶聲不響地站在那裡，他立刻打電話到大隊部，找大隊長汪中。我一聽「大隊長」這三個字，全身都發麻，自己的良心也在責備我；過去大隊長對我那麼好，我怎麼還有臉再見他？

唐隊長在電話上說：「報告大隊長，過去脫逃的呂代豪已經回來了，請問大隊長該怎麼處理？」

由於大隊長的回答我聽不到，所以我更緊張了。

只聽到唐隊長在說：「三副，是，三副。」「三副」就是三副大腳鐐。

這一點我懂，一副是十二公斤重，三副就是三十六公斤，這下子可慘了！

我又聽見唐隊長說：「是，馬上把他帶過去。」

大隊長要見我，哇！怎麼辦？

唐隊長放下電話就說：「衛兵！拿三副腳鐐來。」我的腿立刻就被銬上了三副笨重的腳鐐。

我回去的消息早就傳遍了整個總隊，很多人都跑來看我，有的是慰問，有的則說了些風涼話；我想既然回來，也只好認了，就裝出一副不在乎的樣子，故作微笑狀，一直和人打招呼，其實心裡苦得很。

分隊長帶我到大隊部去，因為腳鐐太重，我就慢慢地拖著走，好不容易才走到大隊部的大隊長室，一進去，我便向他行了個軍禮，說：「大隊長好。」

他好半天不說話，把頭抬起來，定睛看著我說：「呂代豪，你回來了，你終於回來了！」頓了一下，他又說：「呂代豪，你想要再逃嗎？你有本事跑，我看你能跑多久！」

我滿臉通紅，說不出一句話。

「你想想看，你這樣做對嗎？我對你這麼好，你要什麼，我都盡力來幫助你；現在你害了別人，也毀了自己。」他這番話，都是發自內心的。

我感到萬分慚愧，就說：「報告大隊長，我願意接受處罰。」

他說：「這一切都是你自己找的，怨不了任何人。」

他叫分隊長將我帶出去，在這種情形下，我還能說什麼呢？第二天早晨點名的時候，我們在操場上集合。

中隊長唐志明叫我到升旗台上去，向隊員們訓話說：「各位隊員，我今天給你們介紹一位新來的人，你們很多人都認識他，也有人不認識。這位隊員姓呂，不是呂布的呂，而是漢朝的那個生活很放蕩的呂太后的呂；名叫代豪，代不是國大代表的代，而是烏龜、玳瑁的玳去掉『王』字邊；豪也不是英雄豪傑的豪，而是豭豬的豭去掉『犬』字邊。」

他又接著說：「這個隊員生性狡猾詭詐，他假冒大隊長的名義，想把田嘉仁騙出來，結果六隊的分隊長精明，不上他的當；他就利用警務官，把田嘉仁騙出來了，害得許多官長記過。他脫逃的手法詭詐到極點，你們少跟他接近，他現在正在接受懲罰。」

自作自受

這次的懲罰，我吃了很大的苦頭。但，是我自作自受，怨誰呢？

每天早上八點鐘開始，就在大太陽底下罰站，和我一起戴著腳鐐，站在大太陽底下的一共有十幾個人，都是犯規被懲罰或是脫逃未遂受罰，我們每天站在太陽底下曬，一站就是八個小時，每五十分鐘，可以休息十分鐘。台東的太陽很大，曬得我焦頭爛額，兩、三天之後，全身沒有一個地方不在脫皮。

那時候不只是腳上戴著三副各十二公斤的腳鐐，一共三十六公斤，背上要背一個三十公斤的石頭沙袋，晚上大家睡覺的時候，我還被吊在鐵欄杆上面掛著睡，日子過得非常辛苦，再加上進來到現在，我已經有兩個星期沒洗澡了，身上奇臭難聞，因此，我被解下來的當天傍晚，我就只

想去洗澡。只是那時我的腳腫得很大，十分痛，再加上腳上的三副腳鐐，行動非常的不便，根本沒有辦法將身上的長褲脫下來。這時，有一個叫林振生的衛兵班長，他本來和我並不認識，卻主動過來幫我的忙，幫我把褲子脫下，讓我洗了一次有生以來最痛快的澡。我用肥皂洗了很久，才把這一身骯髒清洗乾淨。唉！淪為盆魚檻獸的日子，還有什麼生活比這更痛苦的？

這樣站了兩天之後，我覺得時間這麼浪費掉，也怪可惜的，於是我想出一個辦法，把口袋裡的一本六萬字的《英文袖珍字典》拿出來背，每背一個字便打一個鉤。趁著休息十分鐘的時候，可以坐下來休息，我就背十個生字；等站立的時候，再把這十個生字不斷地默背。因為站的時候，不能拿字典出來看，被長官看見了又要處罰；每天站八小時，我就可以背八十個生字，日子就比較容易打發，也比較不會胡思亂想。

過了幾天，我又覺得八十個生字太少，就趁休息時刻用原子筆在手上多寫上二十幾個字，就這樣一面站、一面趁官長不注意時，偷偷地背手上的單字。到了下一次的休息時間，我便用口水擦掉原來的單字，另外寫二十個上去。這樣，一天就可以背上兩、三百個生字了。當時，我的目標是一天五百個單字，所以，當別人被曬得頭昏腦脹的時候，我在那裡大背英文單字，也背得很過癮，後來背單字背到一個地步，我連英文「雞皮疙瘩」這個字都會背了。

漸漸的我覺得這段時間光拿來背單字也怪可惜的，剛好筱玲寄了一本《英文名人演講稿一百篇》的書給我，我別的沒有，就是有時間，所以又開始背名人的演講稿，包括蘇格拉底的〈對話錄〉、亞里斯多德的〈理想國〉、馬丁路德〈在沃木斯國會上的演講〉、金恩牧師的演講〈我有

一個夢〉，還有林肯、華盛頓、甘迺迪的就職宣言等等約背了六十幾篇。當時背的東西，即使經過了這麼多年，我至今還完全記得。

我在考托福的時候考了六百三十分，我想就是因為這段時間的用功吧！而且我也沒想到，年輕時候背的東西，對我一生在世界各地演講都有非常大的幫助。

除了背英文，每天我最大享受，就是晚上洗澡的時間，和官長分發信件的時間。筱玲仍然不斷地來信給我。晚上有時候要上政治課，聽長官們講三民主義；有時看電視，我對電視節目不感興趣，只看每天七點半鐘的新聞報導，知道一些國內外的大事，其餘時間，我就猛啃英、日文。

突然被借提

過了三個月，有一天，我突然被借提到台北去。由於會被借提，一定是因為另外有案子，我不禁開始擔心，為什麼我會被借提呢？雖然我在脫逃的時候，也犯過許多案子，但是沒有一件被發現，怎麼會被借提呢？

我收拾好行李，被兩個法警押到高雄，再坐火車到台北，然後坐計程車到土城的台北看守所。這是一個新的看守所，原來是在台北愛國東路一號，後來遷到台北的近郊。到土城，在新收房裡過了一夜，我寫信給筱玲，要她立刻前來看我。

第二天，因為我是管訓隊借提的，在分配房舍之前，主管又問了我一些話，問我是從哪裡來的？我說是從管訓隊借提來的，他又問我是什麼案子？我說不知道，最後，我被送到管訓羈押的

信二舍第三房。

我拿著自己的棉被和衣服，進到那間房裡，才一打開門，立刻被眼前看到的人嚇了一跳——是張正國！我們緊緊地握著手，互相擁抱在一起。這個世界真小，老朋友又見面了。雖然我們過去曾有過誤會，但再怎麼說，現在大家都在牢裡，也算是一種緣分，再說，這麼久沒見了，我們有很多話要聊。

既然是在牢裡見到的，免不了要問彼此是怎麼進來的，我把我被捕的經過情形大致說了一下，我也問他是怎麼被抓的，原來，他是被人家密告，也就是被出賣才被抓回來的，又聊了一會，他就問我怎麼會被借提到這裡，不過，由於我自己也還不清楚，自然也不能給他一個明確的答案，只能告訴他，一切只等出庭後才會明白。

當天筱玲來看我，帶來許多吃的東西，她對我那麼關切，我心裡實在受感動，這一份關懷，是我一生從沒有領受過的。

張正國和我在一起，我就覺得日子好過多了。張正國能畫一手好畫、寫一手好字，他的女朋友也時常來看他，給他送些圖畫紙來。我心裡在想，如果將這些圖畫紙製成信封，畫些圖在信封，豈不是很美嗎？我把這個意見提供給張正國，他認為很好，於是我們製成很多這樣的信封。我開始向張正國學畫，最初我畫得很不好，可是我慢慢耐心地畫，因為這裡有水彩顏料和彩筆，我的畫也日有進步。以後我寫給筱玲的信，每張信封上都有我所畫的畫。

過了一個星期，我突然出庭了，心裡有些惶惶不安，不知道是怎麼回事。

在中央台前面，看見那邊坐著兩個人，又是我的朋友，一個是田嘉仁，另一個是紀秉忠。紀秉忠和我分開之後一直沒消息，原來他也來這裡了。田嘉仁呢？我們過去曾打過架，他說他要給我死，也不知道為什麼會來到這個地方。見了面，我過去問他們，他卻含含糊糊地沒有正面回答我；他們問我為什麼來這裡，我說我也莫名其妙。後來我們都被戴上手銬，坐拘留車，去法庭出庭。一路上我一直不住地想，我為什麼會被借提呢？

我們被帶到地方法院第二十七法庭上。

扶陷攀誣

法官有四十多歲，他問了我的年齡和籍貫，和有沒有前科累累，我都一一回答。

「呂代豪，你知不知道你為何被借提？」

「報告法官，我不知道。」

「你自己心裡有數。你認不認識田嘉仁和紀秉忠？」

「認識。」

「你和他們有什麼關係？」

「過去是在監獄裡認識的。」

「×年×月×日你有沒有和田嘉仁、紀秉忠一起犯過案子？」他把案情說給我聽。

原來田嘉仁和我打架分開之後，就參加了一個犯罪集團，犯了一千多萬元的重大刑案，有恐

嚇勒索和竊盜，後來被刑警大隊逮捕。在詢問案情製作筆錄時，刑警問他有沒有共犯，他想到這正是報復我的好機會，就一口咬定我，說我是他的共犯，和他一起犯罪。刑警大隊就將這份筆錄直接送到檢察處，檢察官也沒有把我借提調查，就直接起訴送到刑事法庭。我才明白，原來是這麼一回事。

我當時的憤怒實在無法形容，但是仍按下怒氣，對法官說：「報告法官，我是冤枉的！我沒有和他們一起犯罪，是他們故意咬我的。」

法官不相信地說：「那他為什麼會故意咬你，而不咬別人呢？」

「是因為我過去和田嘉仁有仇，我曾打過他。」

法官回答說：「看你過去的資料，前科累累，而且你們又是一起從管訓隊脫逃出來的，像你這樣的人，不犯罪又靠什麼維生？」

法官問了幾個問題後，我就被還押，送回看守所。當時我心裡是既難過、又忿恨，幸好田嘉仁不和我在一個舍房裡，不然我真會把他殺死。但我想，法官總不至於這麼武斷，就只根據一面之辭而定我的罪吧，我要再繼續打官司。

第二次又開庭，我仍然堅持自己是冤枉的。法官就把起訴書上的犯罪事實唸一遍給我聽，並把犯案的日期、地點也逐一唸出。我說：他們誣陷我的案件中，其中四條的日期，我已經被羈押在台東看守所審理脫逃罪了，難道台東看守所所長會把我放出來，坐飛機回台北犯罪嗎？另外我舉出許多不在場的人證與物證，證明我並未參與犯罪，可是法官不予採信。

過了一個月，我被判有期徒刑九年六個月；田嘉仁被判十年六個月；紀秉忠被判十年；鄒鼎也被陷害，判了兩年，但因他還在東海大學就讀，所以交保在外；另外小胖也被田嘉仁咬了一口，但是他沒有被捉到，並且屢傳不到，所以尚未判刑。我幾乎不敢相信這是事實，回到看守所，整整一個星期，我幾乎茶飯不思，心裡忿恨到了極點，整個人就像要炸開一樣。

我想，九年六個月，加上管訓一期五年，一共是十四年六個月，當時是一九七七年，我算一算，要到一九九一年才能夠出來，那時候的我將近四十歲了，人生還有什麼盼望呢？漫長的刑期教我怎麼捱過去呢？於是脫逃的念頭又在我心裡油然滋生。

另外，因為我被處重刑，情緒不好，房裡那些囚犯盡量避免和我講話，怕惹毛了我找氣受。

本來，想從看守所裡脫逃，就比在管訓隊還要困難了，尤其又是像我這種有脫逃前科的犯人，他們對我更是防備，因此脫逃幾乎是不可能的事。再說，倘若我的案子上訴不成功，三審定讞之後，就要被送到綠島去唱那痛苦的「綠島小夜曲」了。綠島距台灣有十八海里，是一個孤島，而且戒備森嚴，根本就插翅難飛，脫逃更是不可能的事。唯一的可能是，在去綠島之前，他們會先送我到板橋，等新收訓練完畢，才送綠島的那段時間，也就是說，要脫逃只有在板橋。

預備「打衝鋒」

思考再三，我準備用「打衝鋒」的辦法，也就是來硬的，但這必須有足夠的體力，於是，我開始每天至少多花一個小時的時間運動，在房舍角落原地跑步五千下，練習跆拳，保持體力。

不久，我發現在運動場上有一個人，每天運動時間一到，他就沿著籃球場，從頭跑到尾，不但拚命跑，他還雙手緊握在胸前跑，一般人這樣是跑不快的，我當時不了解他為何這樣折磨自己？等到後來他戴著手銬脫逃，我才恍然大悟。有人介紹我認識他，他叫林舜官，外號是「珠寶大盜」，福州人，專門幹重大竊案，他曾偷過電影明星王羽的家，也偷過一些名人財閥的家，這次進來是因為犯了重大的竊盜案，除了五年徒刑以外，又加上保安處分七年，加起來一共是十二年。

我每次都跟他一起跑，由於白天、晚上都運動，骨頭會發痠，必須有人來替我按摩鬆軟一下筋骨，但是按摩固然很舒服，替人按摩的人可就一點也不舒服了，那是必須費很大的力氣，出一身汗的。誰會願意做這種吃力的工作呢？很自然的，這樣的活兒就落到那些新收進來的被告或比較柔弱型的倒楣鬼了。有個叫小毛的新收犯不幸被我看中，接下了每天臨睡前替我按摩的工作。

日子一天天地過去，我一方面在找機會脫逃，另一方面則在找理由上訴。雖然，我和獄友已經計畫好了，可以在打籃球時，藉著搶球打群架的事件，相互提出告訴，只要有告訴，就有機會出庭；只要有機會出庭，自然就有機會逃脫，但無論如何，上訴仍然是最好且最安全的方法。可是，當時的我對國家的法律毫無信心，認為法律如同古代的衙門一樣「有理無錢莫進來」，所以我打算花錢去請律師，走後路。

一九七七年，高等法院仍判我有期徒刑九年，只減了半年而已，加上管訓一期五年，一共是十四年。我真是萬念俱灰，心想唯一的一條路就是脫逃了。但是我絕不能讓筱玲知道，在信上也

一字不提，免得她擔心，變成我的困擾。

這些日子，筱玲的信像雪片般飛來，我也寫了將近兩百封信。她簡直就變成了我的私人宣教士，向我講十字架的救恩，要我向上帝認罪、禱告；筱玲的誠意，我萬分感動。我也曾試著照她所說的——讀《聖經》、禱告，但是我始終覺得，宗教都是迷信、是一種心靈的寄託、是給那些鄉下不識字的老太婆用的，像我這種受過教育、身體和頭腦都很健全的人，何必去信這個？難道真有上帝嗎？上帝在哪裡？讓我看一看，我一定相信祂。禱告？閉上眼睛，自言自語的，說給誰聽呢？

我也翻過《聖經》，什麼上帝用泥土來造人，完全是神話，和中國的《封神榜》一樣。主耶穌的寶血可以洗我們的罪？祂是在將近兩千年前死的，怎麼能洗除我的罪呢？若真能洗我的罪，我也不會被判九年徒刑了。筱玲相信這個，我卻信不下去，我很懷疑，或者說根本不相信吧，我不相信這種空渺的宗教信仰真的能夠改變我。

一九七八年初，筱玲在寄來的第一百五十九封信上寫著——

代豪：

今晨再看一遍你的第一百六十二封信，真教我心底發愁。你真的渴慕成為神快樂的孩童，自由、公義、智慧的弓箭嗎？那麼，代豪，首先要做的事，是滅絕自己和世界！僅存一顆謙卑、渴慕並敬畏耶和華的心……

代豪，試想近三年前，我是個純屬聖靈的基督徒(許多基督徒皆認為我跟天堂只有咫尺那麼近)，而你卻是個無惡不作(《聖經》上所數的罪名你幾乎都犯上了)，連世人都厭棄的大壞蛋，你以為神為何將我放置在你的手中？神可是不眷顧我了嗎？神可是要丟棄我了嗎？哦不！我永遠有一顆愛神、敬畏神的心，神不會丟棄我的，我就是再蠢、再無知，神也不會丟棄我的。但，代豪，認識你以後，我卻開始嘗盡了人間各種的辛酸(天下還有什麼辛酸會比生命受到大激盪來得多)。

代豪，你以為神做這一切是為了什麼呢？噢！代豪，難道你不明白嗎？神許久以前就立意要揀選你了，雖然你心剛硬頑昧，但神總不放棄，總藉著你可能的軟弱，彰顯了祂自己，祂向你證明祂是創造宇宙的神，祂是具有智慧、慈愛、公義的神，難道你視若無睹？

代豪，祂需要你就如同你需要祂一樣。打從一開始，你唯一吸引我的一點，我想也就是神深深喜歡你的一點，就是你有一顆較常人專注、火熱的孺慕之情……代豪，我常常擔心我講得太多會逾越了我的本分；但我更擔心，你一而再，再而三地偏離神的面。代豪，你雖然禱告，但你只為屬世的事禱告，你不曾關切過神，對嗎？

代豪，你錯了，你實在錯了，讓我狠下心腸告訴你，如果你不將所有屬世的一切看為糞土的話；如果你不將神看為你生命中的第一位的話，我倆將是不同世界的仇敵。換句話說，從今起，你我若不「分別在基督裡」成為神至愛的孩子的話，你我將

永遠不在基督外結合。代豪，懂我的意思沒有？(我這樣一個小女子，豈敢在你的心目中，與神爭奪地位呢？)(不要以為我這些話是開玩笑的，從你的每一封信中，在在都表現出，你能盡全心全力地愛我，卻不一定能全心全力地愛神，不是嗎？)

代豪，看我今早講話多麼激動，但我講的一切都不是開玩笑的。除非你更加倍地愛神、順服神，否則，就算我不願離開你，神也會把我從你身邊挪去……

筱玲　一九七八年三月十三日

洋洋灑灑五張信紙。她在大學裡讀書，還要抽時間出來寫信，而且往往一寫就是五、六張信紙，每寫一封信，都要花兩、三個小時以上，但我心中仍然頑固不化，不能接受她所說的，也沒照她信上所指示我的去做；我也常常回信給她，可是我的信是很世俗的，每一封都不外是一些想念她的話、請她替我請律師打官司，以及需要吃些什麼菜等等。不過我每一張信封，都會畫上一個很漂亮的圖案。

每天仍然在運動，準備找機會逃走。我心裡在盤算，我現在正上訴到最高法院去，如果這次又失敗了，我就必須在沒有被送到綠島之前，就得想辦法脫逃。

但只憑我一個人的力量是不夠「打衝鋒」的，因為板橋職訓第一總隊防衛森嚴，衛兵持槍在門口站崗，四周圍都有鐵欄杆和高牆，想要脫逃，幾乎沒有機會，很可能會被哨兵開槍打死的。

我知道，被告在法院判刑確定後送管訓單位時，是一批一批送去的，送到之後，法警會把我

們的手銬解開，把人正式交給管訓單位，算是完成移交手續，然後我們就站在操場上等候分發到各隊去。因此，在手銬打開，尚未銬上腳鐐之前，就是「打衝鋒」的最佳時機——利用那一刻的時間，打衝鋒到大門口。

通常那個時候，警衛只有兩個到三個，雖然大鐵門是關的，但旁邊會有一個小門是開著的，假使有十幾個人一起跑，機會自然就會變大，因為警衛不可能開槍打所有的人。到時候誰跑得快算誰幸運，跑不掉的算他倒楣，反正是八仙過海，各顯神通。

於是我找了幾個刑期較久、想要脫逃的人，大約有十個人，而且刑期都是十幾年的重刑犯，利用早上二十分鐘在操場運動時，和他們商量好脫逃的細節，並告訴他們，只要一個人喊：「衝！」大家便一窩蜂往大門口衝出去。

我每天都在訓練腿力，體能很強，相信不會那麼倒楣殿後的。只要一衝到門外馬路上，叫一輛計程車就可以跑掉了；不必像以前在台東岩灣出來時，還要躲在山裡面。因為職訓第一總隊位於板橋市四川路口，到處都是車輛、行人。

無聊的獄中生活

我們信二舍關的，大都是刑期長達有期徒刑十五年以上的人。為了以防我們脫逃，所以我們不需要做工，整天都被關著實在很悶，要怎麼才能夠合法又正當的打發時間，就成了重要的事了。在極無聊的情況下，大家開始下象棋來打發時間，因為象棋只要拿張紙，上面寫幾字，畫個

格子就可以完成了，下一盤暗棋大約只需十分鐘左右，明棋就比較花時間了，有時候花半小時，有時候則會花上一、兩個小時，不過，這樣下久了，漸漸的也會覺得沒啥意思，因為沒有競爭，沒有競爭自然久了就沒有興致了。

但是，要比賽就一定要有獎懲，什麼樣的獎懲呢？很簡單，就是誰贏了就打輸的人耳朵五下，打耳朵很痛的，但相對的，這樣也就比較刺激、比較好玩。玩著玩著，從原來一次打十下，玩到二十下、三十下、四十下，甚至五十下，打到耳朵都發紅、發麻了，晚上點名的主管發現了，怕我們打到出事，便下令禁止我們再打耳朵，既然是主管下的命令，當然不能不遵守，但也不能因此而沒有了罰則，想了又想，突然想起專家不是常說一個正常人一天要喝八大杯水才健康嗎？剛好監獄裡別的東西沒有，水可是多得很，要多少有多少，於是，我們就將罰則改成輸的人罰喝水。開始的時候，輸一局喝一杯，漸漸的也是越賭越大，變成輸一局喝五杯，一杯五百西西，五杯就是兩千五百西西，如果玩十次都輸，不就得喝下兩萬五千西西的水了嗎？這樣玩的結果就是，每個人的肚子都大得像孕婦一樣，晚上主管查房點名時看到，莫不搖頭笑我們這一房是「窮極無聊房」——用虐待自己的方式尋求刺激，想來真的就叫「窮極無聊」啊！

一九八二年一月十六日結婚當天吳勇長老伉儷勉勵。

新人新心

一位難友的猝逝，再加上筱玲一封及時的信，讓我有了一百八十度的大轉變，我終於大澈大悟……以這嶄新的生命，告別了職訓隊！

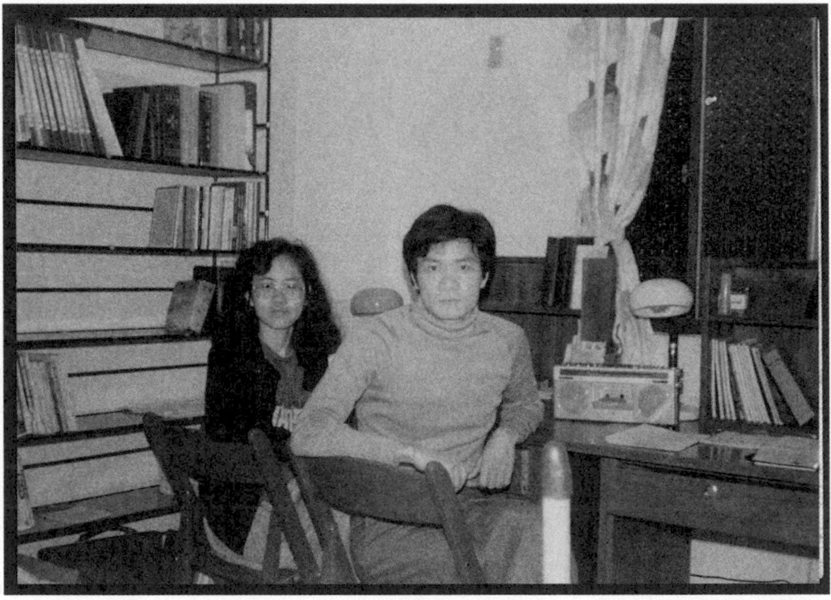

一九八二年和筱玲一起在宿舍合影。

難友之死

我的案子是以刑法第三百二十三條起訴判決，可以上訴到最高法院。於是，我開始上訴最高法院。

在我隔壁二房裡，有一個人叫林民雄，是新竹三光幫的老大，在黑社會裡頗有點地位，勢力強大，年紀只有三十多歲，在信二舍裡當雜役，可以自由在看守所內走出走進。由於私交不錯，我們常一個在房間裡，一個在走廊外，透過一個小小的洞口來聊天。他常問我一些知識上的問題，像是他寫信給他太太，有些字不會寫，就會來請教我。

有一天晚上，他來找我聊天，不過才談了大約十分鐘，他感到有點不舒服，就回房去睡覺了，當時，也沒覺得怎麼樣，我還向他道了聲晚安，沒想到才沒過多久，雜役老鷹忽然來敲我的門說：「呂代豪，Akilo死了！」（林民雄的外號叫Akilo。）

當時，我還以為他在開玩笑，還嚴肅的教訓他：「老鷹，你別開玩笑，什麼玩笑都可以開，怎麼可以開這個玩笑咒人家死呢？」

但是，他沒有在開玩笑，他焦急的說著：「我沒有咒他，他真的死啦，呼吸已經停止了！我們現在已經打電話請醫生來急救。」

我趕緊爬起來，請他開門，跑到隔壁房裡去。林民雄果然平躺在那邊，醫生來替他做人工呼吸、打針，都沒有用，再也挽回不了他的性命，他真的死了！我不住地打他的耳光、叫他，他都

沒有反應，我眼睜睜地看著他被抬出去。

當天晚上，我睡不著覺，一直在想這件事，想到四個月前，他是大搖大擺走進來的，現在卻躺著被人抬出去；想到他的太太和兒子，哭得那麼悽慘……直到第二天早上，我站在窗邊，遠眺著藍天白雲，心裡仍在想：人生怎麼會如此短促？生命怎麼會如此脆弱？像林民雄這麼強壯的人，一點病都沒有，突然一下子感到不舒服，就去了！

我回頭看看我們這些人，心裡有很深的感觸，我呂代豪難道一輩子都跟這些人為伍，永遠屬於這裡嗎？難道我沒有掙脫樊籠，重獲自由的機會嗎？我真的人生要這樣Kill time嗎？難道沒有一個力量可以救我出來？黑社會的誘惑力這麼大，醇酒、美女、開著名牌轎車，這些誘惑力我沒辦法阻擋嗎？

我心靈開始感到一陣飢渴，想要抓住一個我可以依靠的東西。我不由想到自己的一生，由少年到青年，一直在犯罪漩渦裡打轉；我這好勇鬥狠、英雄主義的個性，所換來的是什麼？想到這裡，心一陣陣辛酸。在這人生旅途中，我的生活不是逃亡，就是坐牢，難道永遠這麼下去嗎？我難道真的要待在裡面，十四年之後才重見天日嗎？

我想要脫逃，逃出去又怎樣？不久還是要再回籠的。我難道要永遠沉溺在犯罪的淤泥中，不能自拔嗎？我沒有力量，依靠自己沒有一點辦法，我一定要抓一個可以依靠的對象！難道我的一生就一定要在犯罪漩渦裡打轉嗎？

天上的信函

就在我最需要的時候，雜役丟進來一封信，是筱玲寄來的，這是第二百五十封信了，過去雖然喜歡筱玲來信，可是每每看到她傳福音的那一段，就很頭痛，便走馬看花地晃過去。這一次恰好相反，我覺得信中每一個字，都好像是跳出來對我說話一樣。

過去我一直覺得，信仰只是一種心靈的寄託，是一個人在沒有希望的時候，所幻想出來的力量。是苦難世界的花朵；是顛倒的世界觀；是西方世界滲透中國文明的工具。可是在這一封信裡，她寫道——

代豪：

福音不是宗教，宗教是靠人的努力，希望走到神那裡；這好比人造長梯，希望梯頂通天；這種努力雖然可嘉，到底只是徒勞。福音卻好比天上放下一個長梯，給人從下攀上。而且這梯是活的，人不費力氣，只要踏在梯上，就會自動升上去，好像升降梯一樣。〈希伯來書〉十章二十節說：「藉著祂(耶穌)給我們開了一條又新又活的路。」耶穌又說：「我就是道路、真理、生命，若不藉著我，沒有人能到天父那裡去。」

代豪，這兩句話，說的只是一件事情，就是耶穌成了我們通天的活路。因此，成

為一個基督徒就是打開心門，接受耶穌作自己生命的主，接受祂所賜的生命，與祂有交談、有信賴的關係，常住在祂裡面，直到成為新人。因此，福音與世上的各宗教不同之處，不獨在乎不同的思想系統，更在乎不同的敬拜對象。釋迦牟尼從來不要人去敬拜他，他自己說自己是個真理的追求者；穆罕默德也明顯地表示，他不過是個先知，回教徒都會清楚地告訴我們，他不是他們敬拜的對象；孔子更不是儒教人士所拜的，他只是他們所仰慕的教師。可是，耶穌基督不一樣，祂自己宣稱自己為上帝的兒子，是人類的教主，祂吩咐我們要信靠祂、敬拜祂。

看到這裡，我彷彿窺見一線曙光，於是迫不及待繼續看下去——

代豪，《聖經》上說：「世上沒有不犯罪的人。」又說：「世人都犯了罪，虧缺了上帝的榮耀。」人認為沒有犯罪的行動，便沒有罪；但神是看內心的，神看人內心驕傲、貪婪、情慾、憤怒、嫉妒都是罪。《聖經》告訴我們，由於人人都有罪，所以按著定命，人人都要死，死後且有審判；但耶穌不僅是公義審判的上帝，祂更是憐憫、施慈愛的主。

代豪，人的衣服髒了，需肥皂粉來洗淨；人如果有罪，靈魂污穢了，需要用什麼來潔淨呢？一言以蔽之，就是用血來洗。因為「若不流血，罪就不得赦免。」（〈希伯

來書〉九章二十二節）。但動物的血不能洗人的罪，人的血也不能相互洗罪(因為人人都是罪人)。只有耶穌基督，祂是上帝的兒子，為了拯救世人，以無罪之身，降世為人，只有祂的血，有代贖的功效。祂臨死前，在十字架上說：「成了！」就是說：血已流竭，生命將盡，代贖的工作已經完成。祂既替我們付清了罪的贖價，從此我們就不再被罪轄制了；因此，當你接受祂為救主時，祂的寶血，就是為你流的；祂的生命，就是為你捨的。

一百八十度轉變

筱玲講完耶穌基督的救恩和祂的十字架，最後，她又舉出〈啟示錄〉三章二十節，說：「人往往把心門鎖起來不肯接受主耶穌，主耶穌在外面叩門，人都不肯開門讓祂進來，使得祂站在心門外面又失望又難過。」她說只要我們肯接受祂，求祂赦免，祂就能拯救我們走向光明。這時候不比以往，我的心是完全敞開的，我突然領悟過來，現在的我沒有別的辦法，只有接受耶穌，求祂赦免我的罪。

我立刻跪下來，向主禱告說：「主啊！我像浪子一般地回到祢面前。我過去犯了很多的罪，如今向祢認罪，求祢用寶血塗抹我一切的罪。我現在正式打開心門，接受祢做我生命的救主。啊！主啊！我現在被人陷害，判了十四年的徒刑，要到民國八十年才能出來。我很苦，不知道以

後該怎樣過日子。求祢帶領我，走以後的路。」

從那天開始，我有了一百八十度的改變，開始認真地讀經、禱告了。每一天早上讀《聖經》，晚上就寢以前禱告。我每天禱告最長的時間，是在晚上就寢號吹過之後，因為白天大家在房裡下棋、聊天，所以很吵，不能安靜地讀經、禱告。就寢號吹過後，主管規定每個人都必須躺著睡覺，唯有這時候，我才能安靜下來。剛開始，我是讀〈詩篇〉，認真地體會裡面的話；然後就禱告，祈求上帝赦免我的罪，保守我前面的路。

張正國看見我開始認真地讀經、禱告，也受了感動，就問我信耶穌的事；我知道得很少，但我把所知道的都告訴他，他就和我一起讀經、禱告。我們讀經方法是這樣的，每天每人輪流讀一篇〈詩篇〉，然後禱告；我們是根據〈詩篇〉上所說的，來向上帝禱告。過去我們都是壞蛋，壞得頭頂生瘡、腳底流膿，壞到不能再壞了，我們發現靠自己沒有辦法控制自己，想往好的地方去做，但偏偏就是做不出來。

因此，現在我們都在上帝面前迫切悔改，祈求上帝的靈在我們裡面動工。結果奇妙地，我開始不再那麼崇尚暴力了。本來被判了重刑的我，心情十分的不好，只要有人觸犯我，我就會跟他過不去。但現在不同了，彷彿聖靈會告訴我，說我不應該如此。

以前在就寢之前，我喜歡在房間裡猛烈運動，打跆拳，鍛鍊身體；運動完後，叫小毛替我按摩。信了耶穌之後，我開始感到心裡不平安。有一天，我運動完後，小毛照常過來替我按摩，我告訴他今天不要了；小毛嚇了一跳，以為他有什麼地方得罪了我。第二天他再來替我按摩時，我

同樣地對他說：「小毛，不要了。」

他就戰戰兢兢地問我：「代豪！我犯了什麼錯？你告訴我，我一定改過！」

我說：「沒有什麼，我現在對按摩不感興趣，以後不必了。」其實並不是如此，只因為這對小毛是不公平的。

牢房中的禱告會

我的生命慢慢地在改變，非常奇妙，很難解釋的。

我們信二舍三房並不大，長六公尺、寬四公尺，每邊睡六個人，一共十二個人。我是房長，張正國睡在我旁邊，旁邊還有三個人，分別是許光燦、陳金源和連再德。他們三個人看我們天天讀《聖經》、禱告，有點受感動。因為他們心靈上很空虛，捉摸不到人生的方向，也不知人生的意義是什麼。許光燦就自動要求加入我們，我們當然歡迎之至，不久連再德也參加了，於是我們讀經禱告班就增加到四個人，可是只有兩本《聖經》。

我們房間裡沒有桌子，寫東西都要伏在地板上寫，我們就向福利社要了四、五個肥皂箱，裡面可以放書，上面再放一片三夾板，就可以用來下棋和寫字。每天晚上，就寢號一吹，我們就把《聖經》放在箱子上，一同讀經；大家輪流讀〈詩篇〉，讀完之後一起禱告。他們也不知怎麼禱告，我就對他們說：禱告就是向上帝說話；只要將自己的心意向上帝說明，上帝是不介意我們會不會禱告的。每晚我們都感到很快樂，盼望這段時間快一點來到。不久陳金源和王模棠也加入，

讀經、禱告班增到六個人。

那時候剛好有牧師來監獄佈道，我們向他要了基甸會送的五本《聖經》。現在我們六個人，一共有七本《聖經》了，大家都萬分高興。按照舍房的規定，就寢號一吹，每個人都必須放下手上的東西，躺下來睡覺，如果查房的主管看見你不睡，就會把你拖出去，給你一點顏色看。但很奇妙的是，主管並沒有干涉我們，可能我們的讀經禱告，並沒有影響其他房間的安寧，而且自從我們讀經、禱告後，房裡打架的事就少了，給主管減少了許多麻煩。

喜訊不斷

接著有幾件奇妙的事情，發生在我們這個小小的讀經、禱告班裡。

連再德，他是個計程車司機，犯的是妨害家庭罪，地院判他五年，後來上訴高等法院。在高院宣判的前一天晚上，我們迫切地為他禱告，求上帝為他開路，他也把自己完全交給主。

第二天宣判過後，他由法院被送回來時，滿面紅光地說：「代豪，感謝主！我改判三年！」沒有失去過自由的人不知道自由的可貴。所謂「度日如年」，坐牢的人特別能感受到，在裡面坐牢，不要說減了兩年，甚至連兩天都很寶貴。因此當天晚上，我們熱切地為他感謝主，因為上帝聽了我們的禱告。

而陳金源也一樣，原本他是被判了七年八個月徒刑，他上訴高等法院。宣判的時候，我們也為他迫切禱告，結果他改判八個月，整整減了七年。消息傳來，我們真是欣喜若狂，不住地開口

讚美主。

不過，好消息還不只這些呢！不到一個星期，原來被判十四年的許光燦，高等法院竟將刑期整整減了一半，改判七年。這給我們非常大的激勵，六個人禱告、讀經，有三個人減刑，減了一大部分！

不到半年，我們全房十二個人全都在一起讀經和禱告了。本來我們都不認識耶穌的，可是聖靈一動工，我們個個心都軟化下來。這段日子裡，我們中間有些人刑期滿了，被釋放出去；也有些人被宣判之後，送去監獄裡執行的，但彼此之間都常有聯絡。

連再德被送到龜山監獄後，也把福音傳給同房的難友。有些被送到外島去的，雖然管訓隊不能公開傳道，但他們也盡量把福音傳給周圍的人，並和他們在一起禱告、讀經。我們房裡有新收的被告，看見我們讀經、禱告，也都來參加，他們生命就有了奇妙的改變。

聖靈繼續動工，除了我們的生命被改變之外，有好幾位弟兄的刑期也相繼獲得減刑，最後只剩下我一個人的官司還沒有消息。但是我相信，我所倚靠的上帝，祂一定會給我出人意外的平安。

一九七八年三月，有一天，雜役突然丟了一張明信片到房裡。我一看，是最高法院寄來的，後面有幾個字：「呂代豪案件，原判決撤銷，發回台灣高等法院重新審理。」

我馬上就跪在地上感謝讚美主。我的案子居然發回更審，證明我的官司還有希望；若我的案子被最高法院駁回，就沒希望了。因為最高法院乃是三審的最後一審，不能再往上打了，如果被

駁回，我就只有到綠島去唱小夜曲了。因此我內心的喜樂，是無法形容的。

自從我信了主之後，心裡一直很喜樂，不再像以前那樣，一天到晚想著脫逃的事。我除了早晚讀經、禱告之外，白天就看書，又學習法文和日文，並且因為我喜歡寫文章，而且常常提出我的一些看法、讀書的心得。所以我還利用時間開始練習寫作，向各報副刊投稿，「中國時報」和「聯合報」、「中華日報」、「新生報」等等的副刊，也都曾登出我的文章。我的文章有的時候用呂代豪的名字，有的時候用「代亭」，有時也用筆名，如「雄飛」、「呂品」等等。因為常常用同一個名字，文章被採用的機會比較少。

每一次投稿，我都會親自設計信封，只可惜在獄中，進出的信件都必須經過層層的檢查（防止大家有串供之嫌），所以信封上都會被蓋上「止於至善」、「反攻大陸」、「反共救國」、「光復大陸」這一類的章，所以報社的主編很容易就知道是受刑人投來的稿件，往往在經驗及知名度都不夠，且內容也不一定適合他們的需要的考量下，一開始免不了受到退稿的命運，不過慢慢的我就捉到竅門了，之後再投的稿件，也大多都有獲得刊登，一個月下來大概有兩、三千塊，甚至三、四千塊的稿費，這對我而言，真是天大的鼓勵啊！

其他時間我就繼續寫信給筱玲。筱玲知道我已經信主，並重生得救後，非常高興，時常寄各種屬靈的書刊給我。

有一天晚上，雜役又丟來一封信，發信一向是在白天，晚上很少會有信來，而且信封上沒有地址，只寫著「呂代豪收」。我打開來看，寫信的人名叫丁毓容，我並不認識他。信上說：「呂

代豪你好：你接到我的信，一定很驚訝，我就住在你對面的十六房裡……」原來，他是專門負責檢查信件的人。

在這裡，要先提一下我們這裡信件進出的大致過程。每天晚上只要一聽到雜役叫著：「收信了！收信囉！」的時候，我們就把要寄出的信放在洞口，他就來收集所有的信件。信件收齊了之後，先交由十六房的房長檢查，看看有無問題，然後第二天交給主管，主管也會檢查一次，之後，還要交到收信室去做第三次檢查，這還沒有結束，最後還要再由所長看過，全都沒有問題了才能寄出去。

因為丁毓容受過高中教育，文筆還不錯，主管就把檢查信件的事情讓他來辦。他每天都看到我的信，而且每封信的信封上，都畫著美麗的圖畫，內容有三、四張紙，大都講說耶穌基督的恩典以及在我身上的工作；他看了深受感動，一直希望能認識我這個人，於是來信自我介紹，願意和我做朋友。我心裡想，這個人一副很誠懇的樣子，便回了他一張條子，我們就這麼聯絡起來。後來我乾脆在小洞口和他聊天喊話，最後還成了知己好友。

勤寫理由狀

不多久，我接到高院送來的傳票——六月十五日要出庭。我有點害怕，因為過去那一連串的失敗，心情難免有些恐慌，但是我把這件事，藉著禱告交託給主，心裡立即得著平安，我這才發現信主和不信主，就有這點的分別，不信主時是靠自己，信了主之後，就把自己完全交託給上帝

了，所以沒什麼好恐懼的。

由於必須要有足夠的理由來證明我沒有參與犯罪，那陣子，我經常三更半夜爬起來撰寫上訴的理由狀，我舉出好多理由，來證明田嘉仁和紀秉忠犯罪的那段時間，我並不在場；也舉出了好幾個可以替我作證的人，來證明我並未參與犯罪，除此之外，我也把「中央日報」、「聯合報」上所刊登的文章剪下來，貼在理由狀的後面，因此，我的每一份理由狀往往都有五、六張狀紙，就這樣一份一份地往法院寄去。

出庭的前兩天，我一直在禱告，求上帝教我找出合適的話來，房裡的弟兄也幫我想怎麼回答法官所問的話。到了六月十五日，我們同案三個人一起出庭，法官是個七十多歲的老人家，名叫林秉仁，聲音不大，福州口音很重，但大致還能聽懂。他問我為什麼要上訴，我說我是冤枉的。

他又問了一些案情問題，我都一一回答，最後法官又問我：「你寫那麼多的理由狀，又把一些報上你寫的文章貼在後面，這些內容都與案情無關，為什麼要附上？」

「報告法官，我是為了證明我已有悔改的意思。雖然我有前科、犯過罪，可是這一次我確實是冤枉，是他們害我的。為了證明現在已悔改，才寫文章登在報紙上，好讓現在社會上迷途的青年們拿我當一面鏡子，以此針砭，警惕自己。」

法官又問：「那你為什麼要附在理由狀上呢？」

「這只是證明我在看守所那段時間，每天讀書、寫文章，並沒有把時間浪費掉，求法官查明我的無辜，還我原有的清白。」

法官問了我差不多一、兩個小時，就宣布被告還押，以後擇期再審。

與小胖重逢

「代豪！小胖被逮捕了，送到看守所來啦！」

有一天張正國跑來告訴我，嚇了我一大跳。當初田嘉仁和紀秉忠咬他時，他一直逃亡在外，現在他也落網了。

「在哪裡？」

「愛二舍。」

我就想辦法溜到愛二舍去。我和小胖沒見面已經很久了，過去曾在一起混過，感情一直不錯；我問他是怎麼被逮捕的，他說那時候法院傳他，他因有前科不敢到案，以致被法院通緝。後來有一次，他在新店，酒後跟人發生衝突，被人送入警察局，查出來他是個通緝犯，才來到這裡的。

我把福音傳給他，他對我信耶穌感到很驚訝。我很誠懇地對他說：「小胖，我的案子和你一樣，被判了九年，你也是前科累累，一定不會比我好到哪裡去，至少也是九年到十年。後面那麼漫長的刑期，你怎麼度過？靠人是解決不了問題的，我們一起來信靠耶穌吧！」

我對真理明白的不多，只能把我所知道的告訴他。小胖剛剛進來，心裡也很空虛，就和我一同跪下來禱告。他對主說，主若救他出去，他一定改過自新，再也不做壞事了。他要回到他父親

的西裝店裡，幫助父親做生意，並且會按時去教會。以後我便時常去愛二舍看他，拿《聖經》給他，和他一起讀。

愛二舍和信二舍剛好隔鄰，並且我們的舍房都在二樓，他從房裡喊話，我也可以聽見；有一天我聽見他在喊話：「代豪！代豪！」

我立刻爬到窗上與他遙遙呼應。我問他什麼事。

他說：「我今天要出庭啦，請為我禱告！」

「你自己也要禱告！」我說。

一會兒他出庭去了，我和房裡的弟兄們聚集為他禱告，通常我們都是早上出庭，中午有一批被告會回來。中午吃飯的時候，我在窗口叫他，他房裡的人說，他還沒有回來。我感到很奇怪，為什麼這個案子會開庭那麼久呢？晚上法院的拘留車也回來了，我又到窗口叫他，他房裡的人說，他沒有回來，交保出去了。我一想，他可以交保，案子一定是沒有問題，就感謝讚美主。

第三天，小胖前來看我，帶來很多吃的東西。我們中間隔了層玻璃，用電話交談。他說：「我已經交保了，法官說下星期宣判。」

「那你有沒有禱告呢？」我問他。

「有，我迫切地禱告，上帝聽了我的禱告。」

最後我說：「你已經答應了上帝，將來回到你父親西裝店去幫忙，星期天去禮拜堂，可不要食言啊！否則上帝會把你的祝福挪開的。」

「放心，我知道上帝的恩典，我一定去教會，好好做人，再也不胡來了。」

「有時間常常寫信給我。」

到了宣判之後第二天，他又來看我，說他已宣判無罪。感謝讚美主，我們都得著很大的激勵。

愛國捐款運動

那些日子，我每天看報，注意國內外大事。

那陣子最引我關注的就是報紙上登載的美國總統卡特訪問中國大陸，很可能會與中共建交的事情。

果然，很快的，卡特政府就宣布與中共建交，而我國政府也立刻宣布與美國斷交。

一時之間，國內的輿論掀起非常激烈的討論，美國大使館被包圍，有人投石子和雞蛋。當時有一位時常與我通信並鼓勵我的女作家——張曉風，報紙上說，她穿著一套黑色的長袍，上面寫著一行英文字：「American spirit died. Let's weeping for her!」另一面是中文：「美國精神已死，讓我們為他哭泣！」在大使館門口抗議，發出正義的怒吼。整個台灣，籠罩在一層悲憤的氣氛裡。

我和張正國發起一個「中美斷交，愛國捐款」運動，立刻打報告呈上去，希望看守所能夠支持。我捐出我所有的稿費四千元，張正國也捐了三千元，看守所的所長召見我，很讚賞我們的行

動，看守所三千多個被告熱烈響應，每人都慷慨解囊，我們馬上就募到了幾十萬元，看守所便發了一張獎狀給我和張正國，說我們的愛國精神可嘉，我們還和所長一起照相留念。

在募款的過程裡，還有段小小的插曲。有一個被告叫馬惜，是香港一家報社的老闆，相當有地位，也很有錢，但不知在香港犯了什麼案，偷渡來台灣，被警察逮捕，送來看守所，現在正在打官司，他知道消息後，也樂捐了一百萬元，但是，因為他的身分不同，看守所立刻召開緊急會議，最後，為了怕引起誤會，只好婉拒了他的好意。他當時很不高興，所方還特別派人去向他解釋。

那時候，全國民眾紛紛寫信寄去美國，抗議美國政府和卡特背信。我也用英文寫了六大張信紙，題目是「諫卡特背信書」，洋洋灑灑三千餘言；因著這一封長信，所長又嘉獎了我一次。我就把這些獎狀，全都附在理由狀上，寄給法官，表示我愛國心不落人後，也藉此希望他在審理時採取更慎重的態度，明察秋毫，以便詳察惡友的挾嫌誣攀，還我應有的清白。

公義的神

一九七八年九月間，有一天我突然在報紙上看到一則駭人的標題：「月黑風高作案去，千金花盡還復來」、「珠寶大盜徐凱、陳武雄、鈕苗勇(就是小胖)等被捕」。報上記載這幾個人犯下三千多萬的重大竊案，並形容這些人在作案後，將贓款全花在舞廳、酒家等風月場所，儼然以富家闊少身分出現，一擲千金，毫不吝嗇。報紙上又說，小胖被捕時，曾拿十萬現金賄賂刑警放他

一馬，被拒絕後惱羞成怒，揚言一年之後必能重現江湖。由於他口出狂言，報上又用幾個字作標題——「大盜口出狂言，治安亮起紅燈」。

我看到這個消息，幾乎不敢置信，小胖怎麼會變成這個樣子？小胖在三個月前才交保出去，被判無罪，他明明對我說過要洗心革面、上教會做禮拜，且要幫助父親照顧生意。想不到短短幾個月之內，他竟然把持不住自己，而且居然改行行竊，犯了那麼大的案子！

我又跑去看他，這次他羈押在仁三舍。我說：「小胖，你要悔改認罪啊！」

他對我苦笑說：「代豪，我是這麼大的一個罪人，不配再向上帝禱告了！正如你所說的，我沒有遵守過去向祂所許的諾言，所以上帝把祝福挪開，這全是我自作自受。因此我實在不配再向神禱告了。」

我只有安慰他，叫他再繼續禱告，因為神是慈愛的神。我回到房裡的時候，心裡有說不出來的感嘆。上帝是信實的，我們向祂所許的願，一定要遵守，否則我們將會失去祂賜給我們的大福，因為上帝也是公義的。

痛毆管理員

一九七八年九月，還記得是筱玲來和我面會後，我回到中央台，坐在椅子上等候，一個很年輕，大約只有二十五歲左右的「戴帽子」(即監所管理員)，一臉的凶相，我們明明排隊排得好好，他卻在一邊大聲吼叫，深怕我們不知道他是「一毛一」的管理員似的，他名叫林昆三，據說

以前曾當過憲兵，在總統府官邸當過侍衛，身體很壯，聽說還是空手道兩段的高手。我當時心裡就想，這個人似乎沒有什麼經驗，可能是剛來的，以他這副德行，總有一天會被人修理。

這段時間裡，我又認識了一個朋友，他叫馮新鎮，外號「寶貝」，過去曾在綠島管訓過，現在再度因案繫獄，我設法把他調到我們三房來。有一天他告訴我，過去他是海軍，在軍艦上待過五年，手藝不錯，任何東西看幾次，就會自己做了。他曾用肥皂盒、牙膏盒、紙板製造軍艦的模型，又做得唯妙唯肖，所以，我請他替我做一個大型的美國飛彈巡洋艦，那是我在報紙上看到的一張照片——美國第七艦隊旗艦「奧克拉荷馬號」行駛在太平洋上的雄姿。他人很好，馬上答應了我，於是，我們一同蒐集了材料，就開始動工。

他負責設計，我在旁邊協助製作，經過兩個星期的合作，軍艦模型終於完成了。一房有一名被告，看見了這個軍艦模型，願意出五千塊錢向我們購買，當然我沒有接受，因為我要把這艘軍艦送給筱玲。但是，在看守所裡送東西出去並不容易。我就動腦筋，打報告給所長，說我想送這個給未婚妻，作為她生日禮物，洋洋灑灑三大張，訴說我們之間的感情以及她對我的期望。真幸運，所長居然答應了，我就去信給筱玲，要她十月十三日來。我要送她一個最好的禮物，十三日那天，我正在跟人聊天的時候，雜役來了。

「七七六面會！」（我的編號是七七六）我馬上起來，穿上衣服（因為天氣炎熱，我們在舍房裡通常身上只穿內衣褲的）。寶貝就把那巡洋艦模型放在我的手上，上面還有一張報告單，因為沒有報告單，東西是拿不出去的，而且還要經過檢查，才能夠到達筱玲的手裡。我便捧著出去，

在前往會客室的路上，所有看到模型的人都會說：「做得真是太好了！」

正當我在得意的時候，身後突然傳來一陣嚴厲的叫喊：「看什麼？看什麼？有什麼好看的！」我回頭一看，又是那個叫林昆三的管理員。我心中雖然很不舒服，但是因為馬上就要和筱玲見面，心中快樂得很，所以也不太在意。大約十五分鐘左右，我們便通過了地下道，進入面會室。

我把軍艦模型連同批准的報告單一起交給面會室主管，請他拿去給十六號窗口的陳筱玲小姐，然後坐在十六號的窗口等候面會。不久，對面的門開了，我先看到筱玲，筱玲還特別炒了兩樣我最喜歡吃的菜——青椒炒牛肉和蘿蔔乾炒肉絲給我；已經升入空軍官校的小弟也一起來了，我要子英快去將軍艦模型拿來，他和筱玲看到那個模型後，都嘆為觀止，筱玲還說，她回去之後，一定要拿玻璃框把模型罩起來，好永遠保存。

我們談得很高興，但是面會的時間只有十分鐘。有人說，看守所的鐘是全世界走得最快的，比舞廳的鐘還快，十分鐘的時間就像十秒鐘一樣，一下子就過去了。時間一到，電話立刻被切斷，我因為太興奮了，沒有馬上離開，還依依不捨的在比手劃腳，這時，管理員林昆三便走到我的面前，用手推了我兩下說：「走啦！走啦！」

他的態度相當不好，我有點受不了；尤其是當著我女朋友的面，使我的自尊心受到損害。我忍耐地對他說：「主管，不要這樣子嘛，好好地說不可以嗎？」

「我這樣子又怎麼樣！」他粗聲地說。

他那惡劣的態度讓我再也忍受不了了，一時之間，我忘了我是個基督徒，老毛病再度發作。我把筱玲辛苦為我做的那兩包食物往地下一放，便狠狠的一拳打在他鼻子上，他被打倒在地，鮮血飛濺。光是這樣我還不甘心，趁他還沒有爬起來，我又跳過去騎在他身上，拳頭像雨點一般落在他臉上，還把他抓起來，摔在地上再打。這時，另外一個主管看到了，馬上吹哨子、按警鈴，試圖阻止我再繼續打下去。

原本已經走到門口的子英和筱玲，聽到了哨音，回過頭來竟看見我在打人，趕緊過來在窗子外面叫：「不要打！不要打！」

但是，那時候的我，根本失去了理智，只是自顧自的把一肚子的氣，化成拳頭，一拳又一拳的打在他身上，直到主管來制止，把我從他身上拉開，我看到他滿臉的鮮血，這才開始害怕起來——糟了，這下禍可闖大了！毆打主管，在看守所是大忌，等一下可慘了。

果然，不到兩分鐘，就來了二、三十個獄警。我只能靜下心來，安靜的向主禱告：「主啊！求祢幫助我，我又犯罪了！」

關入牢中之牢

被我打傷的林昆三立刻被送到醫務所急救。在現場的我則只能強作鎮定，畢竟打人的事實已經造成了，心裡當然害怕即將面臨的處罰，但是，更怕如果露出害怕的表情，會被人看不起，所以，我只能夠一再的告訴自己：要鎮定！

有幾個獄警一見了我就說：「呂代豪，怎麼是你呢？你打了主管嗎？」我只有苦笑，手上拿著兩包食物，就跟他們走，心裡一直不住地禱告。過了地下道，到了中央台前面，有一大堆人圍攏來看，因為打主管是監所最嚴重、最忌諱的大事，甚至比脫逃的處罰還嚴重。主任叫人替我銬上腳鐐，我想大丈夫敢做敢當，就一句話也不說。

主任說：「你真兇悍，居然打起主管來了！」

我蹲在那邊，不知接下來會怎樣，我只知道一定會很嚴重。這時候，張正國慌慌張張由樓上趕下來，一見到我，就問：「怎麼啦！」

我回答：「扁了螺圈了。」（螺圈就是官長的意思。）

「你扁的是誰？」

「林昆三！」

「代豪，你怎麼這麼衝動呢？」

張正國在看守所裡很紅，每一個主管都認識他。這時候，林昆三由醫務所裡出來，臉上包著紗布，看見我馬上說要告我妨害公務和殺人未遂。

他看我已經上了腳鐐，就隨手抓一把椅子想要砸我，被一個高他兩級的主任看到了，就大聲制止他：「你幹什麼？」

他只好放下椅子，那時我也跳起來用手擋住，一面瞪著他說：「你想怎麼樣？」

他就回過頭，對那幾十個法警說：「你們看看，他打了人還問我想怎麼樣！」又對我說：

「我要告你！」

「你去告吧，我已經判了十幾年了，還怕多這幾年？要告你去告。」

張正國在旁邊勸我：「少說幾句吧！」

主任就罵我：「打了人還不知道懺悔！」

我便低下頭，不再講話，不想給別人一個壞印象。因為我和許多獄警都相處得很好，而且主管都和我處得不錯，他們都知道我做壁報、在報紙上寫文章，以及發動愛國捐款等事。

我的處罰是抽鞭子四十下，左手心十下、右手心十下，左腳板十下、右腳板十下，用的是馬達鞭，抽起來痛徹心肺。由林昆三來執行，當然，他抽得比什麼人都重，痛得我咬牙切齒，但為了撐面子，打完了還故意裝得若無其事的樣子。之後還要寫悔過書。我手痛，無法執筆，張正國便替我寫了三張悔過書，我蓋上手印，馬上被送到犯則房。

犯則房在忠三舍，這個地方乃牢中之牢，又小又悶，裡面還有一個人，是信二舍的，姓謝，常常聽到我的名字，因和同房被告打架被送犯則房，比我早來一個禮拜。他看見我的手、腳都腫得好厚，就向雜役要了些開水，倒在洗臉盆裡，替我敷著，他說，如果不這麼做，很容易有內傷，我聽了他的話，把手腳浸到水裡面，雖然痛，卻有些舒緩的效果，感覺好過多了。

道歉了事

我在忠三舍裡待了兩個星期，本來規定犯則期間是不准送東西來的，可是因為伙食太差，張

正國就託人送好吃的飯菜給我。接著我這個姓謝的難友告訴我，他認為我打主管事件的處罰，絕對不會只是打四十大板，寫寫悔過書就了事的，他說，在這裡，最嚴重的兩件事，一件是逃亡；另一件就是打主管，而打主管又比逃亡產生的後遺症更大，為什麼呢？因為逃亡，通常是為了爭取自由，勉強還能算不得已，但打主管就沒什麼理由好講的，打他和要他們的命一樣，一有機會，他們當然也會要你的命。所以他相信晚上下完班以後，趁著人少，他們很可能會報復，說不準，把人架出去，架到旁邊的一個刑場，那時候我叫破喉嚨也沒有人聽得到。

我想也是，林昆山這個人是非常兇悍的，打人打得非常厲害，該怎麼辦呢？我想到我常寫作的時候，有一枝鋼筆，鋼筆有一頭尖尖的可以當武器，可只有一枝，於是，我就拿牙刷到廁所那個石灰地上，拚命的磨，磨到一頭尖尖的，這樣，一手拿鋼筆，另外一手拿牙刷，我想這是很好很好的防衛。

果然沒錯，第三天晚上，差不多十點鐘的時候，來了一個主管說是要我寫悔過書，我說寫悔過書我已經寫過了，蓋章都蓋了呀，還有什麼事情嗎？他說我的悔過書寫得不夠清楚，科長要我重寫。我當然不相信，不肯出去，他看我不肯出去，就想要將我架出去，我一看到他們接近我，就立刻拿出我準備好的武器，大聲的制止他們：「誰敢過來試試看，我跟你拚了。」然後，我又大聲的叫嚷：「兄弟喔，捧場喔！主管殺人喔，殺人喔！主管要殺人喔！」

那時是晚上十點多，正是監獄裡最安靜的時候，我這一叫，各房舍的人都聽到了，於是大家一起呼應著，用腳在木頭地板上「碰！碰！碰」拚命的踏；嘴裡跟著我大聲喊著：「主管殺人

喔，主管殺人喔！」大家一起鬧房鼓譟！嚇得那個主管立刻跑掉。多虧了這些兄弟們的「聲援」，我逃過了一劫，否則那晚要受的刑罰還不知道會有多殘酷。

由於我正在上訴期間，看守所很可能會把我打主管的事呈報法庭，果真如此，對我的案情就很不利。而且林昆三還要告我，可能要多判兩、三年。真是一波未平，一波又起，我每天不住地向上帝禱告，求祂赦免我的罪。

我在忠三舍一共待了兩個星期，每天都在養傷，本來日子是很難度過的，但是有好朋友張正國經常為我送好吃的來，筱玲也曾來看我，再加上每天讀經、禱告，也就不感寂寞了，只是腳上銬著腳鐐很不舒服。

兩週後，我就準備重新分發舍房。張正國和一些好朋友想法子要我回到信二舍，因為那邊的人我都認識，日子也比較好過些。但是我必須先被考核一個月，所方就調我去愛三舍，要看看我表現得怎麼樣；如果表現得好，才送我回信二舍。

我在愛三舍裡，仍然銬著腳鐐。這段期間，我表現得很好，時常打報告給上級，表明我已經悔過了。林昆三本來下定決心要告我，但是那時王哥也進來了，他和林昆三的交情不錯，王哥知道這件事，就出面調解。林昆三在各方面人情的壓力，以及看在我向他道歉的份上，就不告我了。其實我向他道歉也是應該的，因為是我打了他，其過在我，我實在太衝動了。

六年以後，有一天我應邀去土城看守所佈道，赫然聽見林昆三主管因案被押，也淪為被告。我知道後心裡感觸很大，也為他禱告，盼望他能早日認識耶穌，得到嶄新、喜樂的生命。

起意報佳音

我在愛三舍住了一個月，因為表現不錯，腳鐐被解開，還被調回信二舍。我一回來，大家看到我，都很歡迎：

「代豪，你總算回來了！」

我本來想回三房去，但三房上週剛新收了三名被告，正人滿為患，而且張正國遷到了四房，我想跟他在一起，就到四房去。

四房裡也是十二個人，其中有一位叫紀聲寶，犯的是詐欺罪，他虛設行號，倒了廠商三、四千萬，被判九年徒刑；本來詐欺罪最多是六年，但法官見他有惡性詐欺意圖，因此又加上三年的矯正處分，一共是九年。另外房裡還有朱念啟、章振成、盧上忠等人比較年輕，都把我當英雄看待，我和房內的難友們都相處得很不錯。我仍然繼續每天讀經、禱告，由於紀聲寶小時候也去過教會，上過主日學，高中時代也參加過團契，就加入我們的行列。

我想起自己實在沒有見證，主管不過是對我兇了點，我就沉不住氣，還把他打傷；火氣一冒上來，我就壓制不住，我這種暴戾個性什麼時候才會根除呢？於是我向主認罪，把自己完全交給祂，求祂用靈火焚燒我內心的渣滓，掌管我的生命。聖靈就很奇妙地動工，不到一個月，四房裡十二位難友，都和我一起讀經、禱告了。

一九七八年十一月底，有一天我正在讀《聖經》時，主讓我看到一節經文：「天上、地下的

權柄都交給我了，所以你們要去，使萬民做我的門徒。」主耶穌講得很清楚，凡屬於祂的兒女，都要去使萬民做主的門徒。這經節使我受震撼。

另外又看到一節經文：「你們要往普天下去，傳福音給萬民聽。」這兩節經文說明，基督徒自己得救了，也要讓別人來享受主的恩典、做主的門徒。

那天晚上，我想：我已蒙恩得救了，神給我那麼多的恩典，雖然我的官司尚無結果，但是有平安在我心，且因為耶穌在我心掌權後，我就不再自暴自棄，也不再崇尚暴力，所以我有很深的負擔要傳福音給別人。

我一直認為有兩個地方的人特別需要福音，一個是醫院裡的病人，他們掙扎在生死邊緣上，所以特別需要福音；另外一個地方就是監獄，這裡面的人生活非常空虛、寂寞、孤單、痛苦，不知道人生的意義是什麼，總是在鐵窗裡外進出，在犯罪漩渦裡打轉，這種人更需要福音。

據統計，台北看守所裡有三千多個在押的被告，是全台灣人數最多的看守所；如果能在聖誕夜向他們報佳音，是多麼美好的事啊！這裡有十幾個工廠，那麼多的舍房，若能一一去報佳音，傳揚耶穌的救恩，那該有多好！

但是報佳音要會唱詩才行，我又不會唱詩歌，怎麼報佳音呢？巧的是，筱玲剛好給我寄來兩本《校園詩歌》，裡面的歌詞都很美。但我不會看歌譜，因為都是豆芽菜型的五線譜；我正在為難之際，翻到詩歌本後面幾頁，發覺有簡譜記號，過去我在陸軍官校和管訓隊裡，經常唱軍歌，看簡譜沒有問題，於是，我把簡譜套到前面詩歌裡，看起來就容易得多了。

我找了四首適合報佳音的詩歌——「耶穌恩友」、「這世界非我家」、「救主降生」、「奇異恩典」，這四首的歌詞都很美，調子也不錯，可是不能只有我一個人唱，這裡的人，年齡多半在四、五十歲左右，小學程度的居多，有的甚至連國語都講不清楚，很難找能唱詩的人。後來我把紀聲寶、朱念啟、章振成、盧上忠，這四個年紀較輕，也受過教育的選出來。從此，我們每天練唱一個小時，每天練一首詩歌。

有一天，筱玲來看我，說父親希望我能把菸戒掉，當時我非常為難，因為抽菸可說是我唯一的娛樂和消遣，晚上寫狀紙或投稿的時候，缺乏靈感，心裡煩悶，一菸在手，就會靈思泉湧。雖然在裡面香菸很貴，每包長壽菸要五、六百元左右，不過對菸癮極大的我來說，戒菸實在是一件極不容易的事。但，這總是上帝所不喜悅的。我想了很久，就向主禱告：「主啊！祢若救我脫望罪惡的綑綁，讓我官司改判無罪，我就馬上戒菸。並且我要一生奉獻給祢，在世界各地傳福音做見證，領人歸主。」

看守所不是你家

十二月上旬，有一天雜役來敲門：「七七六，傳票。」

我高興極了，因為已有半年沒有出過庭，心裡很惶恐，而且時間拖得越久，對我越不利。我興奮的看著傳票，出庭的日期是十二月十九日，可是，當我看到傳票上蓋的是審判長的印章時，我再也興奮不起來了，因為只要傳票蓋上審判長的章，就表示那一庭是終結庭，依照刑事訴訟法

規定，終結庭完，七天之內就要宣判。

終結庭對我是很不利的，因為我是以冤枉的理由上訴，如果法官相信，應該會花時間去調查我所提出的人證和物證；可是六月那一庭，法官並沒有調證，現在這一庭如要終結，哪裡會有希望呢？晚上我在神面前流淚禱告。聖靈感動我，要我完全交託給上帝，我心裡霎時就平靜下來，繼續準備報佳音的資料及勤練詩歌，希望能在聖誕夜到北所各工廠舍房傳福音。

由於我們都是重刑犯，每天除了有二十分鐘出去運動以外，是沒有機會出去報佳音的，如果想要報佳音，必須得到所長的批准才可以。我想了很久，只有先打報告上去試試看。我這張報告足足寫了四張十行紙，內容大致是說我信了耶穌，生命、性格有了改變，希望別人也能像我一樣有所改變，希望所長開恩，特准我們有三個小時去各舍房唱詩。我寫了一個晚上，第二天就請雜役送出去。

過了一天，雜役便來敲門，「七七六號，所長召見。」我興奮得不得了，所長召見，一定是有希望了。房裡的弟兄也都很高興。

到了所長的辦公室，他叫我坐下，就說：「你寫來的申請狀我已看過了，很令人感動。但是，呂代豪，你可要弄清楚現在是在什麼地方。你是在看守所打官司，你的身分是被告，看守所不是你家，你不能想要怎樣就怎樣。你是信耶穌的，但不能因為你是個基督徒就能在監獄報佳音。如果其他的被告有回教徒、佛教徒，都要來這麼一個活動，你教我怎麼辦？我這所長還要不要幹？你不要再胡思亂想，還是多動動腦筋，把時間花在你的官司上要緊，回去吧。」

彷彿一盆冰水當面澆下，使我乘興而往，敗興而歸。回到舍房以後，弟兄們看到我鐵青的面色，不必問就知道是怎麼回事了。當天晚上，我跪在上帝面前禱告：「主啊！我想在聖誕節晚上報佳音，所長不答應，因為他不認祢。但是他也是祢造的，都在祢計畫之中，為什麼他會不答應呢？」

早上我在晨更的時候，又為這件事迫切禱告；我們默默地練了那麼久的詩，又準備了那麼多的資料，豈不是白費了嗎？

上帝忽然藉著一個意念感動我：「整個看守所有十幾個工廠，三千多個被告，你哪裡能夠都去報佳音呢？只要能在信二舍報就不錯了。」

我就想，是啊！信二舍有二十三間舍房，每一間十二人，總共兩、三百人，夠我們去報的了。

告訴你們天大的好消息！

我臉上笑容重開，就敲門叫雜役來開門，讓我去找主管。我對主管先敬個禮，就開口說：「報告主管，我請求您答應我們，聖誕節晚上，在信二舍各房間裡唱詩、報佳音三個小時。」

他說：「呂代豪，你別給我找麻煩好嗎？所長不答應，你找我又有什麼用？」

「報告主管，我們不是在整個看守所，只要在這個舍裡，這個舍是您負責的。」

「萬一高級長官來視察，發現你們跑到別房唱詩，而且沒有經過所方同意，你說我這『主

管』還要不要幹了？」他說。

「報告主管，這一點我已替您想過了，我們請幾個『插旗靶子』（雜役），在『馬外插旗』（走廊上把風）。萬一有什麼人來，他們馬上就通知我們，我們便溜回房裡去，絕不給您添麻煩！」

我這麼說，主管還是不答應。我又氣又急，言語上就比較激動了——

「報告主管，平時我們四房弟兄如何替您捧場，每個月的大掃除，我們賣力地替您打掃。每一、兩個月做壁報，我們房裡也日以繼夜地替您趕工，替您得獎。您要我們替您做什麼事，我們這一房人都盡心竭力地替您做。甚至您每月要繳的論文報告，都是我認真替您寫的。難道請您幫這一點點忙，您都不肯嗎？」

我越說越激動，使他不得不答應。

「好吧！你們可以去，但唱詩聲音不要太大，免得影響別的舍房。」

「謝謝主管，請放心，我們絕不給您找麻煩。」

我把好消息帶回房裡，全房的人都與我一樣喜樂。

十二月十九日出庭，法官問了我們一個半小時，也沒有調查我所申請傳訊的證人，就站起來說：「本案定於十二月二十六日上午十時宣判，被告還押。」

回來之後，房裡的人問我出庭的情形；我說我不知道，也不再去想它，完全交給上帝。

二十四日晚上，晚飯後，雜役就來敲門。

「主管說，現在你們可以出來報你的佳音啦，不過聲音可別太大。」

這時候傳主管已經下班，我向夜班的主管打一個招呼，先由第一房開始。裡面的難友，有的在聊天、有的在下棋、有的坐著、有的躺著；他們看到門開了，都朝著我們看，我們就向他們點頭說：「一房的弟兄們平安，我是四房的呂代豪，向你們大家問好。現在要告訴你們一個大好消息，希望你們都聚在門口，這樣聽起來比較清楚一點。」他們看看我們，有些莫名其妙。

「我告訴你們一個天大的好消息！」我再說。

「天大的好消息？難道是大赦不成？」有人開玩笑，但還是聚攏起來。

「在一千九百七十多年前的今晚，有一個偉大的人耶穌基督降生到世上來……」我告訴他們，耶穌基督乃是上帝的兒子，道成了肉身，降世為人，為罪人流血捨命，被釘死在十字架上，一個人只要相信祂，罪就可以得著赦免，且得到永生。

我又說：「我今天在這裡受刑打官司，都是因為崇尚暴力，崇尚暴力是解決不了問題的。今天晚上，我們要為你們唱幾首好聽的詩歌。」我就指揮那四個人唱，音量不大，雖然唱得不好，卻都很賣力。我們一房一房地唱過去，唱到第二十三房時，聲音都唱啞了。

有很多難友都在流眼淚，他們說：「代豪，我願意相信你所信的耶穌，有時間請過來和我們多講些這個道理。」

我們回到房裡，已經十點多鐘了。雖然大家都口乾舌燥，心靈上卻很喜樂。

感謝主！謝謝審判長！

回房之後，別人都舒舒服服地進入夢鄉；只有我一個人睡不著覺，因為後天就要宣判了。

整個晚上，我跪在地上禱告，流淚地向主說：「主啊！後天我就要宣判了，以後將去哪裡，我不知道。主啊！雖然我過去曾犯過不少罪，但是，我實在沒有參與他們這次的犯罪，是他們陷害我的，難道我一點洗刷清白的機會都沒有嗎？」

我禱告了一會，又這樣對主說：「主啊！祢若真的要我去綠島，一九九二年才出來，我也願意順服，只要是出於祢的旨意。」

二十五日是聖誕節，也是行憲紀念日，法院休息一天。我在房裡禱告了一天。二十六日大清早，雜役就來敲門：「七七六，出庭。」

穿上衣服，雜役把門打開，跨出一步，忽然覺得心裡不怎麼平安。就對雜役說一聲，又回到房裡對紀聲寶說：「紀大哥，我現在心裡不大平安，請你為我禱告。」他就跟我一起禱告，禱告完了我就打開《聖經》，繼續昨天我所讀的部分。上帝立刻讓我看到一節經文，〈哥林多後書〉三章十六、十七兩節：「但他們的心幾時歸向主，帕子就幾時去了。主就是那靈，主的靈在哪裡，哪裡就得以自由。」

這是上帝在對我說話，祂給了我一個得勝的憑據，我就一直背著這段經節。到了中台前集合蓋手印，就上手銬，和田嘉仁、紀秉忠一起去法院。十點鐘，我們被帶到法官面前聽候宣判。那

天宣判的被告，有十五位左右，只有我們三位同案，是在押的被告，其他的人都是交保在外的被告。法官站起來，按一個個被告的名字，宣讀判決書主文，最後輪到我們三個人的案子。法官宣讀：

「田嘉仁處有期徒刑十年。」

只減了半年，我開始緊張起來。

「紀秉忠處有期徒刑兩年。」減了八年。

然後輪到我了，我的心彷彿就要跳出來了。

「呂代豪部分無罪。」

法官繼續宣判其他案件的被告。我當時聽不太懂，部分無罪?就表示部分還有罪了?

我愣在那裡，忍不住就用手碰碰旁邊的紀秉忠，問他：

「兄弟，我究竟判多久?」

他輕輕對我說：「你改判無罪。」

這回我可聽懂了，霎時我忘記是在公堂之上，法官正在判決犯人，竟忘形地大聲狂喊：「感謝主！謝謝審判長！」

法官被嚇了一大跳。我馬上向他一鞠躬，「對不起，審判長，我是太激動了，對不起！」

他大概也了解我當時的心情，只瞪了我一眼，就繼續宣判。我回過頭去，看見父親坐在後面，眼眶裡淚光閃閃；筱玲那天沒來，因為正逢中興法商學院的期末考。

法官判完了，就坐下對我說：「呂代豪，你以後要好自為之。」

我恭恭敬敬地一鞠躬說：「我以後一定拿出事實，來證明我的悔過。」

接著法官又說：「被告還押。」

因為我雖判無罪，但我是由管訓隊借提的，所以還要被送回管訓隊去。田嘉仁、紀秉忠都過來向我道賀，雖然他們都曾陷害我，可是這次高等法院更審時，他們沒有再陷害我了，而且聲明他們是因為過去和我有仇，才一口咬定我的。冤家宜解不宜結，何況我又是個基督徒，所以也不再向他們追究。

喜氣洋洋

我喜氣洋洋地坐著拘留車回去，到了看守所，在中央台前，很多雜役都跑來問我：「怎麼樣了？宣判怎麼樣了？」

「改判無罪！」我說。看守所許多地方立刻轟動起來。因為我在看守所待了兩年，整個看守所的人，連同所長和警衛科科長，還有許多的被告，上上下下都認識我。一來，因為我打過林昆三，這件事曾轟動看守所；二來，我常在報紙上發表文章；第三，我常常做壁報，中美斷交時，我又發動募捐運動；第四，我成立讀經、禱告班，聖誕節又出來報佳音。許多人都在想，呂代豪天天跟別人一起禱告、讀經，他信的耶穌會不會救他呢？

這下子，他們都看到了神在我身上的恩典，有好幾位被告過來對我說：「你信的上帝救了

你！你信的耶穌救了你！我願意相信你所信的耶穌，請把耶穌介紹給我。」

我回到房裡，全房的人都在歡呼，興奮之情非言語所能形容。便立刻叫了二十樣大菜來替我慶祝，並開了一包長壽牌香菸。我伸手接了一支，但是立刻想起來曾對上帝許過願，我被判無罪之後，一定以戒菸來表示我的決心。可是菸已經到了我的手上，這種引誘實在太大，尤其在法院待了一天，一直沒有機會抽菸。但經過一番掙扎之後，我還是把菸還給別人，說：「我不再抽菸了。」

「你真的不抽了嗎？」他們不相信地問我。

「上帝答應了我的請求，判我無罪；我也應該對祂守信用，所以不抽了。」

那天晚上，我樂得睡不著覺，因為不久就可以重獲自由了。我在看守所已經待了兩年，按規定，這兩年可以折算在管訓隊的刑期，因為我被判無罪。那天晚上，我一面在感謝禱告並寫信。第二天，筱玲來看我，我把好消息告訴她，她說：「呂伯伯已經告訴我了。」

她也帶來好吃的東西，見到她，我真是高興極了，彷彿隔世一般。她問我什麼時候可以出來，我說不知道，大概是快了；因為再過不久我就會被送回岩灣，然後呈報結訓，不出一年就可以重見天日。

那幾天，天天有人請我到他房裡講耶穌，也有人請我替他撰寫上訴理由狀，我就藉這個機會對他傳福音。有一個五十多歲的被告，叫李志欣，是萬華流鶯周玉燕命案的兇手，已經判處了死刑，請我替他寫狀紙。我問了他案情，才知道他是因為被周玉燕所騙，失去了所有的積蓄，才意

氣用事地殺死她。我禱告之後，就答應替他寫狀紙打官司，並且向他傳福音，他也相信了主。後來我到了岩灣管訓隊，他託人來謝謝我，因為他被改判為無期徒刑，這是其中一段插曲。（李志欣現在台北監獄執行無期徒刑。）

問題還沒了！

許多人都以為我被判無罪是因為我的狀紙寫得好，善打官司；而我總是會告訴他們，事實上，並不是因為我狀紙寫得好，而是因為我相信耶穌。那時候，我有點被快樂沖昏了頭，好像馬上就能出去似的。

有一天晚上，我禱告的時候，聖靈提醒我，問題還沒了呢！我就想到目前所面臨的問題。我既然改判無罪，一、二十天以內就會接到高等法院的判決書。十天到十五天之內，檢察官若沒有上訴，我的案子就算是定了；法院會安排時間送我回岩灣去，時間大概要一、兩個月。

但是我回去之後，是不是馬上就能報結訓呢？事情可沒那麼簡單。原因有二：第一，我過去曾脫逃過，官長們對我印象並不好，尤其有些官長還被記過，他們一定記憶猶新；第二，管訓隊結訓的伸縮性很大，由甲級升到乙級要一年，乙級升丙級要半年，再從丙級升到丁級也要半年；升丁級之後，再半年方可呈報結訓。我現在是甲級，沒有晉級，必須再從頭來過。由甲級流氓要一直升到丁級流氓，才能呈報結訓。

職訓總隊乃是「戡亂時期取締流氓辦法」中所實施的特別條例，這是一條行政命令，並不是

法律的判刑，所以沒有一定的刑期。（按：七十四年七月十九日「動員戡亂時期肅清流氓條例」

已公布實施，取締流氓辦法同時廢止。）表現良好的話，有人兩、三年就出來；表現不好，照樣有人被關五、六年。

聖靈如此提醒我，我就禱告主，尋求指引；感謝讚美主，上帝的帶領真是非常奇妙。有一次我和一位難友在談天，這位難友是剛由板橋管訓隊借提過來的，在看守所打官司。他告訴我全省一共有三個職訓總隊，都是由職訓處負責管理，職訓處處長叫曹應則，是個基督徒，我吃了一驚。

過去曹處長曾到板橋職訓總隊視察，並對隊員訓話，他的一番話很令隊員感動，可感受到他有悲天憫人的胸懷。末了，他還說：「我會為你們禱告。」一連講了兩次，由此可見他應該是基督徒。

我就想到，我在看守所的成績不錯，回管訓隊是甲級，還要再關好幾年；如果我這兩年的時間可與管訓隊刑期相抵，再加上以前在管訓隊裡關了將近兩年，是合乎呈報晉升丁級的資格，就可以申請結訓了。很多人因為不懂法律，往往白白地被關了很多年；我想可以找曹處長幫忙，如果他肯，事情就好辦了。

我禱告之後，就寫一封信給他。我先自我介紹，把過去經歷、重生經過、目前情況都告訴他，又附上看守所的獎狀、報紙發表的文章；又把過去兩年所做的事說得很清楚，請他幫忙，並稱呼他「曹伯伯」。

感謝主，一個多星期後，就收到曹處長的來信，信上居然稱我為「代豪賢姪」。他說看過我的信很受感動，也為我禱告；並且恭喜我能悔改信主，冤屈得以洗刷。他說我的情形，依照規定可以申請甲級晉升丁級，並告訴我可拿他這封親筆信去申請；呈報上去之後，可以由岩灣職訓總隊一級級地呈報到台北警備總部，批准後，就可以由甲級直接升到丁級了。信上還有著發文字號，可見他非常慎重。我接到這封信，感動莫名，居然碰到那麼好的一位長者，解決了我的問題。

最後一根菸

一九七九年農曆新年除夕，每一間舍房裡都訂「大菜」慶祝。雖然我們都在坐牢，但畢竟中國人對年節很看重，所以過年還是有點喜慶氣氛；尤其是我們這一房，大多數是信主的弟兄，喜樂氣氛與其他各房都不同。我們叫了二十道菜，花了五千塊錢，共同慶祝。

後來，雜役丟進一包三五牌香菸，是賞給我們的。這是英國菸，在牢裡不易抽到。弟兄們很高興，就打開來，每人一支。張正國也丟一支給我，我對他說：「我已戒菸，不再抽了。」

他們就說：「不要開玩笑，這種菸是不容易得到的。尤其今天過年，抽一支又有什麼關係？」

我對他們說，我已經向上帝許過願，被判無罪後，必把菸戒掉。他們說：「不要緊，偶爾抽一支，又不是天天抽。」

在半推半就的情況下，有人替我點上火，我抽了一口，真是過癮！便慢慢地把這支菸抽完，當時沒有感覺什麼不妥，然後大家一起享受了一頓豐盛的「年夜飯」，彼此恭賀，說些吉利話，並盼望政府早日大赦天下，明年過年在外面見面。

就寢後，忽然覺得身體有些不對勁，感到天旋地轉；我的頭腦還很清醒，身體卻很不舒服。肚子裡一陣難受，就跑到廁所裡拚命地嘔吐，直吐到全身沒有力氣，彷彿死去活來。有人問我要不要去醫務所，我說不用了；我知道，這是上帝在懲罰我，因為我沒有遵守與祂所許的願。那天晚上，我跪在地板上求上帝赦免我，以後再也不抽菸了，這樣我才舒服下來。從那一天開始，直到現在，我就不敢再抽菸了，我又一次經歷到上帝的信實。

層層上報，晉級獲准

「七七六，帶東西，回岩灣啦！」雜役在外面喊。我從地上跳起來，全房間的人都過來和我握手道別。「代豪，保重！恭喜！恭喜！」我一愣，怎麼這麼快就要走了？四房開始騷動起來，他們紛紛替我收拾棉被、細書、整頓行李。一九七九年二月八日，是我離開台北看守所，回岩灣職訓總隊的日子。

三房的人也來和我握手告別，我叮嚀他們：「讀經、禱告，不要停止，這是我最大的希望。」張正國很捨不得我走，眼中含著淚水。這兩年來，我和他生活在一起，如同親兄弟一樣，我們天天在一起讀經和禱告；我們之間的關係，已經不像過去經營應召站時唯利是圖的樣子了。

其他的人只能送我到門口，張正國是雜役，可以一直送我到中央台前。我的行李是兩個大袋子，一個裝棉被，另一個是筱玲寫給我的三、四百封信，還有書籍等等。在中央台蓋了手印，再去法院辦理手續，就坐觀光號火車南下，由台北到高雄。沿路上，兩個法警押著我，他們仍然很小心地戒備著。其實他們大可不必擔心，因為即使他們把我的手銬打開，我也不會跑的，我知道重獲自由已指日可待了。

在由高雄到台東的路上，我們還是搭乘金馬號的巴士。一路上我想起一九七七年的情景，和現在完全不一樣，那時候我一直在想脫逃的事，內心緊張恐懼的模樣，和現在滿心喜樂的樣子，不啻有天壤之別。

回到岩灣管訓之後，發現長官有些調動，大隊長汪中離開了，新的大隊長叫周興國；我仍然被編在第五中隊，下午看見一批人在大太陽底下出操，我實在要花時間來適應。在看守所，我生活得很舒服，什麼都不用做，每天關在房間裡看書、睡覺和寫信。管訓隊就不同了，嚴格的軍事訓練，不是出操，就是做工，沒有一刻是輕鬆的。第二天，我把申請晉升丁級的報告書呈遞給分隊長。分隊長簽過字之後就遞給隊長。

過了不久，隊長把我叫去，問道：「這封信是曹處長寫的嗎？」

「是。」我說。

「曹處長與你有什麼關係？」

「世交。」我隨口這麼說。因為處長稱我為賢姪，我也叫他伯父。

他又問我：「這些文章都是你寫的嗎？」

「是的。」

「你以前在外面做些什麼事？」

「要流氓，後來在看守所信耶穌悔改了。」

他把我的報告呈報上去，隊長是個少校，叫鄭庭一，是從蘭嶼調來的。不久隊長也召見我，問了我同樣的問題，就把我的申請狀往總隊報。

那時候我還在甲級流氓階段，每天要出操曬太陽，還好是二月份，太陽不算太大，所以還受得了。過了幾天就不出操了，為了怕我們脫逃，隊裡和外邊老百姓訂了合約，他們把老百姓種的生薑送到我們裡面來，我們則每天關在寢室裡刮薑，從早上五點半起床，運動跑步一段時間，吃過早飯就開始刮薑，一直刮到晚上六點鐘。用勞力賺取金錢，替總隊謀福利。生薑很辣，刮得我們的手直發癢，賺的錢用來加菜，或當福利金。

吃晚飯時是我們一天之中最輕鬆的時候，上政治課或看電視、聊天、下象棋，但我對那些娛樂並不太感興趣，所以就坐在床邊看書、讀英文、寫信，筱玲幾乎兩天就有一封信給我，信上都是她的靈修心得和勉勵的話。

那時候總隊已經把我申請晉升丁級的公文呈到總部了。我每天晚上都還和以前一樣讀經、禱告。隊裡的人都知道我已經信了耶穌，我就向一些比較談得來的隊員傳福音，有幾位也決定信主，我常和他們一起禱告。

有一天，隊長把我叫去說：「呂代豪，你晉升丁級已經獲准了。」我高興得說不出話來，心裡對上帝有無限的感恩。因為丁級獲准，下個月就可以呈報結訓了，而且我已經合乎呈報的規定。

得意忘形

有一天早上，大隊長將我們集合，要我們打掃房間，說過幾天有高級長官要來視察，後來才知道，是曹應則將軍來視察。因為岩灣要成立一個職訓中心。

管訓隊名義上是職訓總隊，實際上並沒有完全負起職業訓導的責任；所謂的「工作」，也不過是扛石頭和刮薑，不是真正的技術訓練，隊員無法習得一技之長。這些人被關了五、六年，與社會隔絕許久，將來出去之後，又無一技之長，除了遊手好閒、不務正業以外，還能做什麼呢？

曹處長實在是個好長官，他看到這種情形，便在各社會福利機構和行政院、立法院等處大聲疾呼，由各方面捐款幾億元的資金，成立了一個職訓中心，地點就在岩灣管訓隊的旁邊。裡面設有水電修護、冷凍空調、平車拷克、車床、沖床、縫紉西裝等技術訓練。於是在岩灣管訓隊旁邊幾千坪土地上，開始大興土木建造廠房。

曹處長來視察的那天晚上，我坐在上舖看書，隊員們都在看電視。八點鐘，突然聽到鐵門外面隊長在大喊：「立正！」

我們一聽，就在原地不動，表示敬意。之後進來一位少將，和幾位上校。我仔細一看，那位

少將就是曹處長，我心裡忐忑不安。他由寢室頭慢慢地走到寢室尾，又問了幾個隊員一些問題，閒話家常。

正要出門的時候，突然又問：「呂代豪在哪裡？」

他在幾百個人中間叫出我的名字，我真是受寵若驚。我立刻由床上跳起來，「報告處長，我在這裡！」並向他立正，行了個軍禮。

他來到我面前，像慈父一般地拍著我的肩頭，「呂代豪，你怎麼樣？一切都好嗎？」

「謝謝處長，一切都很好。」我恭恭敬敬地說。

大隊長站在一邊，處長就轉過頭問他：「呂代豪表現得怎麼樣？」

「很好，很好。」他說。

他並沒說錯，事實上那段時期，我也的確表現得很不錯。曹處長又問我丁級已批准，呈報結訓的情形如何。

大隊長就說：「依照規定，下個月他就可以報結訓。」

曹處長又拍拍我一下說：「好好地幹，好好地幹。」

他走了之後，隊員們立刻包圍著我問：「呂代豪，曹處長和你有什麼關係呀？」我故作神祕地說：「沒有什麼，世交而已！」

他們都很羨慕我說：「你快出去啦！」

到五月，我果然呈報結訓了，我寫信將這個好消息告訴家人和筱玲，他們也深深為我高興。

人就是那麼軟弱，事情一順利，我就慢慢放鬆自己，讀經、禱告也沒有以前那麼勤，開始一曝十寒。之後，職訓中心開始動工，大興土木，隊員們開始被派去挑磚、挑土，幫忙蓋房子，工作很辛苦；但是我也不太在意，反正結訓在望，吃一點點苦又有什麼關係？

五月中旬，因為蘭嶼職訓總隊有一個大隊被解散，一批人被調來台灣，成立一個第九中隊，隊長叫畢正。他知道我已經報結訓，沒有脫逃之虞，並且也辦理過文書業務工作，這方面算是內行，就調我來九隊辦理文書業務。我因此就輕鬆多了，不必每天出去做工，可以整天坐辦公桌，看看書報、雜誌，寫寫信，這時候的我開始有些得意忘形，差點忘掉我向上帝所許的願。

別有用心

有一天中午，我在辦公室裡，忽然八隊有一個人來找我，他叫程安文，是我小學同學程安良的弟弟。

我和他在花園裡聊天，他問我：「呂大哥，你以前是怎麼脫逃的？」

「你問這個幹什麼？」我詫異地說。

「隨便問問而已。」

我就像講英雄故事一樣，越說越起勁，繪聲繪影，描述得很清楚。

講完之後，我覺得有點不對勁，立刻說：「你可不能胡思亂想啊！像我脫逃出去，又被捉回來，多關了那麼久，真是何苦來哉！脫逃就等於自掘墳墓。台灣地方那麼小，你能逃到哪裡去？

遲早還是被抓回來。好好地忍耐，五、六年很快就會過去的；你若表現得好，還可以提前報結訓，重新做人，不要胡思亂想，聽到了沒有？」

他說：「不會的，你放心好了。」

誰知道，不到兩個星期，有一天早上，我正在辦公的時候，一個隊友慌慌張張地跑來告訴我：「代豪，八隊有八名隊員昨晚集體大脫逃！」

我趕緊問他是怎麼回事，原來昨天晚上他們神不知鬼不覺地鋸了窗子，爬牆跑掉了。第二天官長點名時，才知道少了八個人。

我問他：「有沒有一個人叫程安文？」

「程安文就是其中的一個。」他說。

這個小子！果真是別有用心地來找我。

我不是幕後黑手！

岩灣管訓隊成立三十年來，還沒有一次一下子跑掉八個人的，不久以前，我們去卑南溪沙灘挖掘沙土的時候，曾跑掉過三個人，可是三天後，又一個個被捉回來了，這一次，他們竟是鋸掉窗子上的鐵欄杆，和幾個隊員衛兵串通好，趁官長不注意時爬牆出去的；警衛竟也沒有發覺，讓他們輕易爬牆過關。管訓隊立刻通知軍隊和憲兵隊、警察局，請他們支援搜索；這是一次驚天動地的脫逃，軍隊、老百姓和警察立刻進行搜山工作。

我心裡想，程安文真是不顧死活，他怎麼逃得了呢？聽說有幾百人上山做地毯式搜索。隊員們個個都理光頭、穿著隊員制服，身上又沒有錢，能往哪裡跑？當天晚上，就捉回來一個人，叫鄭萬福，被銬上腳鐐；第二天，程安文也被捉回來了，他被銬上手銬、腳鐐；審問的官長要他說是怎麼脫逃的，以及誰教唆的等等。他失去了理智，在疼痛難堪之下，竟供稱是九隊呂代豪教他脫逃的。

我立刻就被叫到大隊長室，還沒弄清楚是怎麼一回事，只見大隊長面色鐵青的質問我：

「呂代豪，大隊長對你怎麼樣？」

「對我很好。」我說。

「那麼大隊長出了事情，你是否盡力幫忙？」

「一定幫忙。」我心一直在跳，不知是怎麼回事。

「真人面前不說假話。呂代豪！你是怎麼教他們脫逃的？」

「什麼？」我不明白地問。

「這八個人，是不是你教他們脫逃的？」

「根本沒有這回事！」我極力爭辯，心想這個罪名一成立，那還得了！

「教唆脫逃」在法律上與脫逃犯同罪，尤其是在管訓隊裡，我至少要多關上三、五年。

「呂代豪，你坦白說出來，不然你要當心。」

「我敢在你面前發誓，我絕對沒有教他們脫逃。」

「有人招出來的。」他說。

「是誰？」我問。

「這個我不說，你自己心裡有數。你跟他怎麼說的，一五一十都招出來了。我看你還是老老實實地說出來吧，我可以從輕發落。否則，別怪我翻臉不認人。」

我心裡慌得失去了主張，就暗暗地禱告：「主啊！主啊！請幫助我。」但是表面上仍然很鎮定。「報告大隊長，請你想一想，我現在正在報結訓，還有一個月就可以出去了。我怎麼會做出這種自掘墳墓的事？」

大隊長似乎被我說得有點心動，我就接下去說：「曹處長那麼善待我，我已經下決心要好好做人，我怎麼會這麼做呢？對我又有什麼好處？報告大隊長，請你好好想一想。」

在這種狀況下，我一時情急，就把曹處長搬出來，但大隊長仍然不相信，他說：「對呀！曹處長對你那麼好，你更不能做出這種事情，人家全都招出來了。」

我說：「報告大隊長，無論你怎麼說，事實只有一個，我絕沒有做出這種事。真金不怕火煉，請你好好調查一下吧。」

大隊長沒有再說什麼，就叫我回去。回到隊上，我立刻被釘上腳鐐，那時候我的心幾乎都碎了，痛苦萬分，但是回頭想想，事情也許還不至於太嚴重，聽大隊長語氣，還不能確定他們會辦我，因為這件事太重大了，大隊長不可能只說我那麼幾句話，就上報警備總部，而給我延訓的，再說，他們如果已經把這件事報告警備總部，一定會做筆錄的，但是他什麼都沒有做，僅口頭問

問而已。

後來我越想越不平安，就試著寫封信給曹處長，說我不久將要結訓出來，回台北後，將當面向他致敬，並感謝他的協助，但是並沒有提起這件事。

祂必開路

一個星期之後，我接到一封信，是處長親自寫的。看到信中的第一、二段，整個心都涼了，眼前一陣烏黑，眼淚馬上掉下來。

代豪賢姪如晤：

你的來信收到，你的結訓案雖已送到總部辦理，但因某種緣故，已暫停評審，理由你應該比我更清楚。一個人不能做錯事；一步走錯，就會全盤皆輸……

語氣沉重，足見這個案子一定是報到警備總部去了，否則曹處長不可能知道。完了！這下子最少要再關上三年到五年，怎麼辦？我心痛得連路都快走不動。

我走到花園裡，跪在地上，大聲痛哭地禱告說：

「主啊！祢為什麼這麼待我呢？過去我受人陷害，被判了九年半，祢的恩典使我改判無罪，救我脫離罪惡的綑綁。本來再過一個月之後，就可以重獲自由，可是現在又遭遇到這件事情。程

安文雖然是問過我，我也告訴他過去脫逃的經過，但我曾勸他不要逃，他反倒咬我一口。大隊長不問青紅皂白，就把我專案報到總部申請延訓。這世界太不公平了，教我怎麼活得下去呢！」

我沒有安靜地等候上帝給我的指示和引導，就自己去想辦法，我只有兩條路可以走，一條路就是脫逃。可是我已經上了腳鐐，這條路是走不通也不可能的；另一條路就是自殺，當時太衝動了，沒有想到基督徒是不能自殺的，自殺也是犯罪，殺自己如同殺別人一樣，我就在花園裡拿起一塊石頭，往自己的頭上砸下去。但是我用的力氣不夠大，頭上只腫了一個大塊，流出許多血，我沒有死，也沒有勇氣再來第二次，自殺是需要勇氣的，我手摀著傷口，繼續向上帝祈求，並不住地飲泣。

過了一段時間，我回到隊上，九隊的畢隊長對我相當的同情，且仍然很照顧我，讓我在辦公室裡工作，辦公室裡的人也很同情我，個個跑來安慰我，給我很多的溫暖。我一有時間，就跪在花園裡禱告。感謝主，到了第四天，我讀到在〈詩篇〉二十三篇四節上說：「我雖然行過死蔭的幽谷，也不必怕遭害，因為祢與我同在，祢的杖、祢的竿都安慰我。」這意思是說，只要我信靠祂，祂必為我開一條路。

這句話給了我莫大的勇氣與啟示，我再度站起來。我寫了一封信給筱玲，告知目前的情形，請她為我禱告；接著又寫信給曹處長，洋洋四大張信紙，向他解釋，我並沒有教程安文等八個人脫逃，並把詳細情形都告訴他；此外，我又向蔣總統經國先生陳情，並寫出些理由狀和陳情書，希望總統能派人來調查；也去信給監察院余俊賢院長、立法院倪文亞院長，以及警備總司令汪敬

熙上將，一共發出五、六封的陳情書，天天為這件事禱告。

沒有多久，警備總部就有公文下來，聲明：岩灣職訓總隊第九隊隊員呂代豪，牽涉八隊八名隊員脫逃之事，其中疑有冤屈，宜派專人調查。

他們派岩灣職訓總隊的監察官調查這個案子。他姓賀，是個中校，我對他說明我是怎麼被冤枉的，並說程安文也許是推卸責任或不堪折騰而咬我的。他就去問程安文，程安文還算有良心，承認是我勸他不要脫逃的，只因當時被折磨得受不了，才咬定我，他覺得很對不起我。於是監察官做了筆錄，並展開調查，看我們是否有串供之虞。

水落石出

有一天下大雨，我突然心中有個靈感，要去找這位監察官。那時候大雨滂沱，我趁他們吃午飯時，等在客廳那邊。我站在大雨中，既沒有穿雨衣，也沒有帶傘，全身濕淋淋地像隻落湯雞。官長吃完飯，從餐廳出來，監察官也出來了，我就向他敬個禮。他發覺我站在雨中，馬上拿雨傘為我遮雨，問我有什麼事。

我說：「我有事要向你報告。」

他帶我到屋簷底下。

我對他說：「每天等下去，我心裡很不安，求監察官幫我調查得更詳細，還我原有的清白。」

他說：「你放心，我會好好替你調查的。」

回去後我繼續禱告，求上帝保守，使我的案子可以洗清冤枉。我也相信上帝洗清我上一次的冤屈，這一次也一定會拯救我的。在這段期間，筱玲天天都有信來，不斷地安慰我、鼓勵我。

等待的日子萬分難熬。七月裡有一天，監察官請我去。他說：「呂代豪，你的案子我已經查出來了，我馬上專案呈報警備總部，恢復你的結訓評審。」

我心裡一面感謝主，一面對他說：「謝謝監察官，這段日子辛苦的調查，我永遠不會忘記你的恩情。」

他說：「沒有什麼，只要出去之後好好做人。」

之後，他叫人解開我的腳鐐，許多隊員都前來向我道賀，畢隊長也很高興，我則迫不及待的把這個好消息告訴了我的父母和筱玲，請他們放心；又去一封信給曹處長，向他致謝。現在才知道上帝應許這件事發生，是用來管教我，因為我太得意忘形，不夠檢點。從此以後，我每天都以「步步為營，安靜禱告，不出差錯」這十二個字來提醒自己，再也不敢停止讀經和禱告了。

第九隊工作區域，一向都以營內為主，可是職訓中心正在大力興建，需要更多人去幫忙，於是六隊來向我們九隊要人，希望那些已經報結訓、體力較好的年輕隊員能調到六隊去工作。名單發表出來，我竟然也列在其中。

做苦工我倒是無所謂，但是六隊隊長杜賓，在民國六十五年(一九七六年)我從六隊脫逃的時候，正是六隊的隊長，當時為了我的脫逃事件，害他被記了一個過，所以自然對我印象十分深

刻。我知道自己將要去六隊時，便提醒自己小心為妙。果然，我第一天報到，他就把我叫到辦公室去——

「呂代豪，你來啦？」他說。

「是的，隊長好。」

「你報結訓了沒有？」其實我的案子他未嘗不知道，只是故意問我。

「報告隊長，報了。」

「你報結訓啦！你運氣真好。」

「是的，謝謝隊長。」

「不必謝了，如果批准了，算是你的運氣；如果不准，我要慎重考慮你的結訓。」

我當然明白他話中的意思，因為如果警備總部不准，落在他的手上的話，以後要想再報結訓，就不知要拖多久了。當時的我，一心只希望「自由」趕緊到來，以前的英雄氣概，在那一剎那間都化成烏有。我知道這是我的考驗，要我學習忍耐。因此我每天出去做工，都是拚命地幹，一做就是一整天，蓋房子、搬磚瓦、油漆牆壁等等，晚上十點收工、洗完澡後，仍然讀經、禱告。

我做工很賣力，說話也很檢點。但是因為工作太辛苦，身體有些吃不消。

我的案子七月份再報上去，八月份送到總部開會評審，如果批准的話，九月份就能出去。

永別了，職訓總隊！

那陣子我生活非常緊張，深恐一不小心出紕漏，所幸，八月中旬我的案子就下來了，我的結訓終於批准了。這個天大的好消息一傳來，我馬上跑到花園裡，跪在地上，大聲叫著：「感謝讚美主！」然後立刻寫信給父母和筱玲，他們也都非常高興。

按理說，案子八月份批下來，九月份就可以出去的，但到八月底，有消息傳來，因為十月正逢雙十國慶，有許多海外僑胞要回來參加十月的慶典。在這段時間，為免有隊員出去作案，影響國家聲譽，所以這段時間管訓隊不能放人，因此，我又被調回九隊。

這時候的我已經不必再做工了，每天只需要上政治課，以及結訓後的注意事項，即所謂的「奮鬥教育」而已。筱玲寄來五千六百元給我當旅費。寫信給作家張曉風姊姊，告知我十一月就可以出去，她回信說，希望我出去之後能去她家玩；紀聲寶也來信說，他在一家大貿易公司當顧問，自己也開了一家公司，我出去之後可以去找他，在他公司裡負責業務方面的工作。我很興奮，天天都在盼望自由的日子快快來到。

十一月初，我重獲自由的日期才確定下來。日子一確定，我立刻寫信去告訴筱玲，我將搭當天十一點鐘的遠航班機，大約十二時左右到達台北松山機場。又告訴父母親，請他們不必來接我，只要筱玲來就夠了。我每天都在盤算，出去之後要向我的父母證明，他們的兒子還有出息，我每天都計畫出去後要如何好好開創一番事業。

一九七九年十一月十九日，我自由的日子終於來了。一大清早起來，興奮得連早飯都吃不下，在眾人羨慕的眼神下，我換上了嶄新的便服，聽完隊長例行的訓話之後，一輛卡車把我們送到台東車站。在離開營房大門時，我大叫了一聲：「永別了！職訓第二總隊！」過去，我是偷偷摸摸逃出去的，時時刻刻擔心會被捉回來；現在我是大大方方走出去，只要奉公守法，誰還能把我送回來呢？我和長官、隊員們不說再見，只說保重。在這種地方，怎麼能說再見呢？我已經把過去的債全部付清，現在起，我是個新生的人。

車子送我們到台東火車站，我們就分道揚鑣，我則和其中一個隊員一起去喝咖啡。好幾年沒有在餐廳裡享受了，聽聽音樂、啜口咖啡，這滋味——真棒！我什麼都沒有帶，只有一個帆布袋，裡面裝著筱玲那五百多封信，和我的日記等等資料。這時的我，頭髮已經長長，從我知道獲准結訓時，就已經開始留頭髮了，所以現在的我已經不再像個犯人。

十點鐘，我搭客運車去飛機場，坐在車上，我心裡反覆的想著，好久沒有和筱玲見面了，見了面該說些什麼呢？當十一點鐘飛機在台東機場起飛的時候，身處在藍天白雲中，我百感交集，但更充滿感恩，想到神豐盛的恩典，不禁喜極而泣，我深深的體會到，天下再沒有比自由更可貴的了。

不到十二點，飛機平安地降落在松山機場。到達關口，就看到筱玲在等我。我們去附近的餐廳吃飯，彷彿有說不完的話一般；當天下午，我回到了位於五股的家裡。父母早已在家裡等著我了，一見面，忍不住眼淚直流。

父親紅著眼眶對我說：「孩子啊，這麼多年來苦了你啦！」

我說：「只怪我自己學壞，又怨得了誰呢？」

父親又問我：「你準備怎麼樣呢？」

我說：「先找個事情做，穩定踏實，一步步地走。」

父親與岳父陳秋隆教授。

一九八五年全家福（永馨在肚子裡了）。

重見天日

從忙碌的業務經理，到髮廊的老闆，再到賣魷魚羹的小販，重見天日之後，我努力的工作，努力的想讓自己事業有成，但，失敗卻如影隨行……

一九八二年一月十六日結婚典禮。

忙碌的業務經理

出獄一個多星期後，我打電話給張曉風，她聽見我出來了很高興，就請我去她家吃飯。那天，我帶筱玲一起去，她和她的先生林治平，就是《宇宙光》雜誌社的社長，一同熱烈地招待我們。那天晚上，菜餚很豐富，我們交談了很久。曉風姐問我準備在哪裡聚會？我說還沒有決定。後來，她帶我去她參加的林森南路禮拜堂。那裡的傳道人楊江生和我談了一會，我把過去的經歷都告訴了他。

楊弟兄很愛護我，我表示想要受洗，他吃了一驚，「你剛出來就要受洗？」我表達了我想要趕在聖誕節受洗的心願，他便問了我一些基要真理的問題，我向他陳述信主的過程，以及對耶穌基督十字架救恩的了解，聽完了以後，他確定我是真正重生得救了，就答應了讓我受洗，於是在聖誕節(一九七九年)，我正式受洗，歸入耶穌基督的名下。

一般說來，剛由監獄或管訓隊出來的人，找工作都很困難，但是，由於我出獄前，紀聲寶就已經替我安排好了，所以，我一出來，便在他的貿易公司擔任業務經理一職，負責辦進出口貨，所以業務很忙。

儘管工作忙碌不堪，我和筱玲仍然時常見面。她不久即將畢業，正在撰寫畢業論文。但是因為她父親非常不贊成我們在一起，以至於只要她父親在家時，我們就較少見面，雖然筱玲一再對他說，我有悔改向上的心，但是，她父親還念念不忘我過去和陳一鳴一起做壞事的歷史。

所以他就說：「牛牽到江西還是牛，這個人是不可能悔改的，就是有這樣的事情發生，也不會發生在呂代豪的身上。」

後來，紀聲寶又和一位商人李柏成合股，開了一家欣港貿易公司，我被調到那裡去當業務部經理，每天工作很忙，時常要去銀行辦理押匯，也要陪顧客去工廠看貨、驗貨。有一天，我回五股時，接到我在台北看守所時，住在我對面房間的丁毓容打來的電話。當時他被判九年，送到岩灣職訓總隊，但就在我結訓前兩個月，他和那個幫我製造軍艦模型、綽號叫寶貝的馮新鎮，一起翻牆脫逃了。我約好他倆在一處見面，並問他們目前的情形。他們說不很穩定，仍然沒有固定的住處。

因為他們都受過高中教育，在管訓隊都辦理過文書業務，我就把他們介紹給紀聲寶認識，希望藉此機會把福音傳給他們，帶他們認罪悔改，並向治安單位自首。

紀聲寶就請他們來欣港貿易公司幫忙，為他們預備兩張辦公桌，要他們擔任抄寫工作，並學做生意。這兩個人住在公司樓上，倒是很守本分，馮新鎮還能燒一手好菜。

由於我曾介紹他們和張曉風通信，他們很希望能見見這位女作家。我就想辦法替他們安排，曉風姐一接到我的電話，雖然有點驚訝，但她還是答應了，並約定好當天下午六點半請這兩人吃飯。可是就在白天的時候，馮新鎮說有點事要出去一下，兩個小時內一定回來，但他下午一點鐘左右出去，到了三點多卻還沒有看見他回來，我開始為他擔心。

丁毓容也不放心，便說一定要去看看，但是他去了之後，又沒了消息，我知道一定出事情

了。當天夜晚，我打了電話，向曉風姐解釋了大致的情況，並取消了約會。

到了第四天，終於有了他們的消息，我接到他們的信，原來兩人都被逮捕了，被關在台北看守所。那天晚上，我和李柏成開車去土城看望他們。我問丁毓容是怎麼一回事，他淚眼汪汪的說，馮新鎮一去咖啡廳，立刻就被預先埋伏在那裡的警察給逮捕了，不知情的他，自然隨後就送上門去，一起被帶回了警局。我聽了之後，雖然也有些難過，但事到如今也只能夠勸他們要好好懺悔、多多檢討，走之前，我還告訴他們，會常常寫信給他們，願他們好自為之。

在紀聲寶那裡工作了一段時期之後，我漸漸的發現，他並沒有遵守自己向上帝所許的願，私下仍然沿襲過去的老路子，於是，我就離開了他的公司，轉到鄒鼎開的鐘錶公司上班。有一天，我在松江路，看見路邊電話亭裡有一個人在打電話，原來是紀秉忠，我跑過去拍拍他的肩膀，他嚇了一大跳。「原來是你！」他說著，把電話掛上，我們找了家咖啡廳坐下好好聊聊。

原來，早在半年前他就出獄了，現在的他，開著一輛豪華的千里馬轎車，身上則是筆挺的西裝，手上還戴著一支81038價值約在三、四十萬元上下的勞力士金錶，看他出手很闊綽，我便問他目前在做什麼事業，他支支吾吾地說不出來，後來才說和幾個人合夥做「大買賣」，還問我要不要參加他們。我想，他所謂的「大買賣」一定來頭不對，就謝絕他，並表明我已經改過自新，未來只想在事業上好好發展，說完就和他分開。

就在遇到他之後的一個禮拜，有一天晚上，我在電視新聞報導裡看到政府正在通緝三名珠寶大盜，其中一人赫然就是紀秉忠，另外那兩個人也是我過去在台北看守所信二舍裡的被告。我為

之一怔，原來這就是他所謂的「大買賣」！

在我看到電視新聞後不到一個月，「三名珠寶大盜全部落網」的標題在「聯合報」上出現。紀秉忠又被捕了，我心裡十分清楚，紀秉忠這次被捕以後，坐個十到十四年的牢是免不了的，果然，最後他被判十三年有期徒刑，送到綠島去唱長期的小夜曲。兩年後，我由出監的友人得知，被送到綠島的他，仍沒有放棄脫逃的念頭，他偷竹筏脫逃，結果不幸船翻了，人也淹死了，只在海上找回了一件被魚啃噬殆盡的繡有他名字的囚服。我知道後，心裡非常難過。

還有一個曾和我一起被關在看守所過的宋欣興，當我遇到他的時候，也是光鮮亮麗的，他開著一輛價值五百多萬的賓士五〇〇跑車、手上戴著上百萬的勞力士滿天星，以及好幾克拉的鑽戒，人模人樣的，旁邊還帶著很漂亮的酒家女，但我記得當時的他，刑期應該還沒有滿，因此想必也是從管訓隊脫逃出來的，所以一點也不羨慕他。

之後再有他的消息，也是在報上看到的，報上寫著，他帶女朋友開著賓士五〇〇上北宜公路，到宜蘭礁溪去喝花酒，喝完花酒，行經北宜公路要返回台北時，在九彎十八拐的路上，為了閃避迎面開來的卡車，一個不小心，失速摔下幾十公尺的懸崖，當場死亡。

我心中十分感慨，黑道是一條不歸路，人一陷進去，是很難掙脫得出來的啊！

髮廊大失敗

一九八〇年六月，筱玲已經大學畢業，在時代留美語文中心當女祕書。筱玲家裡有一個女房

客，叫蔡秀卿，由日本留學美容回來，在忠孝東路開了一家「金谷髮廊」。後來因為蔡秀卿在外面標了很多會，借了很多錢，加上利息滾利息，以致債台高築，也欠了筱玲的母親很多錢，最後逃之夭夭，不見人影，我們就把她的髮廊接收下來，打算重新開業。

筱玲的母親把髮廊交給我全權處理。我向一些開髮廊的朋友請教了一些他們的創業經驗，以及髮廊內幕的情形，同時，我也下了重金，請來三位名髮型設計師及十幾位職員，其中一位叫查理的髮型設計師，還曾得過遠東髮型設計比賽的全國總冠軍呢！

等全部都安排得差不多了，我要筱玲把工作辭掉，來當會計，也將內部重新裝潢好，正式取名叫「形象髮型創藝中心」。

開業那天，我不但請了新聞記者來採訪，還請了幾位電影明星來剪綵，很多人都來捧場參觀。開始的時候，生意彷彿不錯，所以，我就和別人合股，又買下了位於西門町樂聲戲院對面的一家髮廊，並聘請了三位設計師，其中一位，是來自香港的名師。

新開業的店及原來的店裡加起來，我一共請了六位髮型設計師，光是查理每個月的底薪就要五萬元，另外五位底薪也有三萬元，所以光是員工每個月的薪水，就有二十萬元以上的開銷，這還不算房租、水電費、伙食費、燙髮藥水費等等的固定開支。可是當時的我，一則因為生意看起來還不錯，加上一心沉迷在事業開創的氣氛中，所以根本沒有注意到收支平衡的問題，更忘了我當初在囹圄中向上帝所許的心願——如果祂能救我脫離罪惡的綑綁，我這一生要走上奉獻的路，無論往哪裡，都要為主作見證，一生服事主。

在全力拚事業的那一段時期，我很少去教會，認為只要我的心向著上帝就可以了，雖然筱玲時常苦勸我，並找我去教會，但，我還是很少去，有時逼不得已去了，也只是虛應一下，做禮拜時也無心聽道，老打瞌睡。有時候，筱玲發現我在打瞌睡，會把我叫醒，叫我要睡就回家去睡，不要在教會裡睡，我也總要耍嘴皮子，告訴她：「你不知道，在家裡沒冷氣不好睡，在這裡有冷氣多好睡啊！」

不過，那段時間裡，吳勇長老卻讓我留下了印象。有一次，吳勇長老在講培靈大會，他說，所謂「培靈」，就是有靈性的人才能把他培養起來，就像起火需要火種，才可越燒越旺，沒有火種、沒有靈性的人怎麼培呢？

當時，什麼都聽不進去的我，這句話倒是聽進去了，所以聽了道出來，我就跟筱玲說：「你帶我來做什麼呢？我沒有靈嘛，沒有靈怎麼培呢？」她聽了真是啼笑皆非。

由於我對髮廊事業根本是個大外行，又愛打腫臉充胖子，不必要的開銷太多，基礎未穩，卻高薪猛聘名師，以致入不敷出，雖然筱玲的母親投入了很多錢，客人也很多，但帳面上還是赤字，不但蔡秀卿所欠的債沒有賺回來，每一個月還要虧十幾萬元，不得已，只好快刀斬亂麻，把兩家髮廊都關門頂讓。

萬念俱灰，信心大受打擊的我，這時才回想起來自己在這段日子的頑梗、悖逆，於是，我再次在上帝面前痛悔，不斷地禱告，求祂饒恕我。過了一個星期，心裡漸漸恢復平安，知道主垂聽了我的禱告，並再度靠著祂的恩典站起來，不再想去創業了。

但是，為了生活和債務的問題，我必須再去找工作。正好國際芝麻大酒店招考櫃檯部主任，要一個會國語、粵語、英語和日語的人，我寄履歷表去應徵，很幸運的被錄取了，因此，從一九八〇年十二月起，我開始在那邊當櫃檯主任，由於我工作認真，敬業樂群，經理十分賞識我。

在固定上班的同時，因為筱玲有一位全家移民到多明尼加的大學同學來信，希望我們將來也能夠去那裡創業，並建議我們開始學西班牙文，於是我開始積極的學習西班牙語。

芝麻酒店的工作是三班制，需要排班，工作時間不固定，有時候是早上七時到下午三時；有時候是下午三時到晚上十一時；又有的時候得由晚上十一時上班到清晨七時，不過畢竟是個穩定的工作，只是做沒有多久，我便發現芝麻酒店雖然是個五星級大飯店，事業體也很龐大，但私下他們卻向員工吸金，或許是我過去在監獄來來去去培養出的敏感吧，我立刻嗅出這當中定有蹊蹺，所以在三個月後，我就毅然辭職了。

在日立嶄露頭角

辭職後，我開始參與社會服務的工作。

我在基督教勵友中心幫忙，這機構是專門幫助徘徊在犯罪邊緣的青少年和吸毒的人，有一天，我認識了一位陸國棟伯伯，陸伯伯在監獄裡當過二十多年的典獄長，是位很虔誠的基督徒；退休之後，就在更生保護會當副總幹事，更生保護會乃司法行政部的一個機構，專門幫助受刑人出獄之後的工作問題。

陸伯伯對幫助出獄之後的更生人解決問題有很大的熱忱，有心推動監獄福音團契的成立，專門從事監獄佈道工作。他認為一個人做事力量單薄，應該聯合全省對這工作有負擔的基督徒。我很贊同他的理念，就將我蒙恩的經歷講給他聽，並表達願意助他一臂之力的意思。於是，他召集對這工作有負擔的人開籌備會，正式成立了「中華監獄福音團契」，在羅斯福路三段「校園團契」的二樓舉行籌備會，請我去作三十分鐘的見證。

筱玲早有奉獻為全職傳道人的心；我呢？雖然也許過願，但心還是在俗世上，並不想當傳道人，再加上這時，我去報考日立公司工程師的職位，在兩百多個應徵的人之中，我竟是唯一被錄取的，在不捨得放棄這份工作的情形下，我告訴自己，一面在外就職，一面參與福音工作也是一樣的，所以，我一邊在工作，然後每個星期一、三、五和筱玲去劍潭青年活動中心學習西班牙文，只有星期日才去教會做禮拜。

就在我的心還沒有全然預備好要做傳道的工作的這段時間，我和筱玲之間的感情起了風波，為了是否該成為全職的傳道人，我們倆常爭得面紅耳赤，彼此都不肯讓步，甚至到了決裂分手的邊緣。

這時，有人介紹我們去找真理堂的傅立德牧師。傅牧師年約四十餘，滿頭的銀髮，是一位愛主的美國籍牧師，也是普渡大學的行為科學博士，對心理協談有相當的認識與經驗，是一個非常溫柔和藹的長輩，當時在台灣已經待了十二年。

傅牧師聽了我們的情形之後，很願意幫助我，就每星期兩次單獨帶領我讀經、禱告，每次兩

個小時。那時我的心尚未完全預備好，有時難免會懶得去；他就打電話到公司找我，使我不好意思不去。之後，我的生命觀與價值觀漸漸有了長進。

那時候，「中華監獄福音團契」已經改名為「更生團契」。我找到過去一些在監獄裡認識的朋友，來參加更生團契的聚會；每星期六下午三時到五時，在真理堂聚會，由傅牧師帶領。此外，我有時也到靈糧堂聚會；周神助牧師對我非常好，他過去是校園團契的總幹事，後來在靈糧堂牧會。我也參加他們的禱告會和做禮拜，頗有學習和收穫。

同一個時間，我在日立公司上班也有相當好的成績。在公司裡，我負責部分生產管理的工作，因為我們公司與日本有密切的技術合作，常有日本商人蒞臨參觀，剛好我會講一口流利的日語，所以可以擔任傳譯工作，加上我也通英文，所以，在公司裡頗受到重視，只要公司裡有外賓前來參觀時，一律都由我負責接待，董事長和總經理對我都讚許有加。

一九八一年，台北縣政府舉辦五一勞動節演講比賽，共有兩百多個工業團體報名，我則代表日立公司報名參加。在三天的激烈競爭下，我得到了冠軍。這在日立公司是一件大事，因為自一九七一年至一九七六年間，日立公司每年都報名參加，卻沒有一次得獎，甚至連入圍都沒有，這次我能捧個冠軍大獎杯回來，並且電視新聞與各報紙都刊出訪問我的鏡頭，為公司增添不少光彩。

除此之外，在我任職的那段時間裡，除了本分工作以外，我還做了兩件事情：一是創辦公司內部刊物，叫《日立園地》，由我負責編輯工作。因為日立公司員工近五百人，作業員多數為夜

校生；設立一份刊物，可以刺激他們投稿的興趣，加深他們「以廠為家」的信念，另一方面也可以穩定作業員離職的流動率；另一個措施，是建議公司成立員工獎學金制度。日立在台成立二十五年，一直沒有獎學金制度，自從獎學金制度設立後，員工們的流動率變低，且大部分員工對我的印象都很好，認為我帶給他們很大的福利，甚至有些員工還會常來找我談他們心裡的問題，我則藉此機會，向他們傳福音。

本來老闆是要試用我六個月，之後再簽約，送我到日本去受訓，回來後即可升任課長。照一般人的眼光來說，我的前途真是不可限量的。

賣魷魚羹

有一天，我在林森北路遇見一個叫葉敏雄的老朋友，他是我在岩灣管訓隊認識的一個隊員。他個子高大，家住南投埔里，是個大流氓，專門在埔里一帶佔地盤、收保護稅。他比我晚半年結訓，全家遷來台北，和他父親在這地方擺了個檳榔攤。

林森北路是台灣有名的風化區之一，舉凡夜總會、酒吧、舞廳、飯館和俱樂部，應有盡有。每天晚上都非常熱鬧，要到清晨四、五點鐘，才漸漸平靜下來。往來的人有風塵女郎、外國觀光客，花錢如流水，一擲千金。

我問葉敏雄，這麼一個小檳榔攤，究竟夠不夠賺錢謀生？

他說：「你可別小看這小小的檳榔攤子，每天可以淨賺至少一千八百塊呢！」

乍聽他這麼說，我實在是嚇了一大跳，我在心裡暗暗算著：一天淨賺一千八百元，一個月就可以賺到五萬四千元！他也不過擺個桌子般大的檳榔攤，既不必繳稅，也不用付水電費和房租啊！

之後他又說，那個地方是個做生意的好地段，旁邊還有塊小空地，若有人在那裡賣魷魚羹的話，一個晚上至少也可以賺到一到兩千元以上。因為此地來往的客人花得起錢，如果一碗二十塊錢，賣一碗可以賺一半。

因為之前我們經營的髮廊，不但不賺，還虧了不少錢，其中還包括在創業之初，剛好碰上職訓總隊的處長曹將軍在立法院及四處奔走，籌募了一千萬元的基金，專門撥出來作為職訓總隊管訓隊隊員重回社會後、表現良好者的創業基金，只要能提出一套完整的創業計畫，每個人最高可以貸款三十萬元。當時我就貸了三十萬元，之後每個月要還一萬塊錢，欠管訓隊的錢誰敢不還？不還的話又把你抓回管訓隊去，把你的假釋撤銷。

以當時我在日立公司的薪水來說，不但根本不夠還錢，更別想要存點錢好將來出國去讀書，於是我和筱玲商量，她也頗有興趣，因此，我們就去萬華訂做了一輛手推車，還買了大鍋、瓦斯爐和幾百個碗，一共花了五萬塊錢。

至於煮魷魚羹的技術與配料，是我們去敦化北路一家頗負盛名的魷魚羹店向老闆請教的，那老闆被我們的誠意所感動，就把祕方傳授給我們。此外，那家老闆是批發魷魚羹的，不必我們自己做，我們只向他買，他就每天送魷魚羹來林森北路給我們。

不過，要在那種龍蛇混雜的地方擺攤也是件不容易的事，還好葉敏雄在當地黑社會頗有勢力，人面也廣，就由他出面斡旋，不久，我們這個魷魚羹的攤子，就真的擺起來了。

筱玲每天下午三點鐘把攤子擺出來，四點多開始賣，直到晚上十一點多鐘才收攤，我則是一下班就跑到她那兒去幫忙洗碗，生意果然不錯，平均一天下來，可以有一千多元的淨利。不過，即便是如此，這些錢畢竟都是勞力換來的辛苦錢，尤其是白天我在上班，魷魚羹的攤子都由筱玲一個人負責，她一個弱女子，怎麼承受得起這般體力的消耗？再說，我們倆，一個白天要上班，晚上還要去幫忙；另一個則是每天得顧著攤子，回家後早已精疲力竭，哪裡再有時間去靈修呢？兩個人靈性都受到了前所未有的打擊。

經過再三的思考，再加上顧慮到筱玲的身體狀況，雖然當時生意實在很好，但我們還是毅然決定停止，就以批進來的原價，頂給那時勵友中心總幹事陳俊良的妹妹來經營。

一九八六年七月赴泰緬山區佈道。

傳道生涯

我們奉派到我的故鄉五股去開拓教會，當初，被警方評為「魚肉鄉里，橫行霸道」的我，如何面對鄉親父老？

一九八五年帶工作團至岩灣管訓隊做勸化工作，右一為晨曦會劉民和牧師。

決心受神學教育

勵友中心的總幹事陳俊良，請筱玲去當幹事。因為勵友中心的宗旨，是服務社會迷途的青少年，帶領他們向上，所以幹事人選，最好是社會學系畢業的基督徒。剛好筱玲是社會學系畢業，又對青少年的工作有使命感，所以經過禱告之後，她就去上班。我每天一下班，就騎機車去勵友中心接筱玲。

有一天，她下班後，說要帶我去見吳勇長老。我曾聽過吳勇長老兩次講道，但印象不很深刻，就問筱玲是否一定要去，她說務必要去，她已經和吳勇長老約好了。吳勇長老住在南京東路禮拜堂的三樓。我見到他之後，就講我蒙恩的經過，足足講了兩個小時。他聽完，就和我相約，等他新加坡講道回來後再約談我。後來他從新加坡回來，筱玲又和他聯絡上了，要我去看他。這次在去之前，我們倆先經過一次迫切的禱告。到了那裡，吳勇長老問了我許多話，足足有四個小時。

談到最後，吳勇長老很嚴肅地對我說：「呂代豪，我現在要創辦一個神學訓練的地方，希望你能來一起同工，並且在裡面接受訓練。你現在暫且不要太急著答覆我，你回去禱告，如果上帝呼召你出來，你就辭去工作，把自己奉獻給上帝，一生走祈禱傳道的路。」

我和筱玲回家後，為這件事迫切地禱告。我知道這件事困難很大，父親和母親必定第一個反對，因為他們還沒有信主，能讓我到禮拜堂做禮拜，已經很不錯了，要他們贊成我進神學院當傳

道人，幾乎是不可能。何況父親對基督教的印象向來不好，過去他聽過傳道人講道，一講就是要人奉獻金錢，不管人信不信主，引起他相當的反感，所以，在他看來，傳道人的工作，就是要一張嘴皮子，把別人口袋裡的鈔票，說到自己的口袋裡，更何況當時我在日立公司表現良好，近期內老闆將送我到日本去受訓。在這種情況下，家裡的反對是可想而知的。

我只有繼續禱告，上帝很清楚地讓我知道，世界上的一切，都像雲霧一樣，終究要過去的。在我禁食禱告尋求上帝時，上帝藉著《新約聖經》〈加拉太書〉六章十四節告訴我應該從這個世界分別出來，萬萬不要再以別的誇口，只誇主耶穌基督的十字架。祂對我的呼召，是那麼的明顯。我也知道，只有祈禱傳道，見證上帝無限的恩典，才是我最大的願望。雖然我在日立公司待遇好，又有前途，但始終感到心裡不平安，總覺得那兒終非我久留之地，畢竟我曾向上帝許過要將自己一生奉獻給祂的願，現在絕不能對祂失去信用。

於是我下定決心辭職。感謝主，父親和母親都答應了，他們不是沒有反對，而是因我對他們說，我之所以改變，能由管訓隊裡出來；能在日立公司做事；能有今天的平安、喜樂，一切都是上帝的恩典。不然的話，我現在還在綠島受管訓，要到一九九二年才能夠出來。

決定了以後，我打電話給吳勇長老，他很高興，告訴我「基督門徒訓練中心」將在一九八一年六月招生，八月考試。在開學之前，需要一些人做雜務、編通訊錄的工作。

第二天，我在公司寫了辭呈，遞上去，總經理挽留了我很久，我告訴他，我要讀神學，將來準備當傳道人。總經理雖然對我辭職的理由感到不以為然，且深感惋惜，但是也沒有辦法，只好

批准。

我是在一九八一年五月五日辭職的，當天下午就向吳勇長老報到。他告訴我從五月六日開始，每天早上，他要花一個半小時，帶我讀《聖經》，由八時到九時半。和我一起去的還有筱玲和另外一位范姊妹，一共三個人。因為我《聖經》基礎很淺，吳勇長老就準備每天對我講一點《聖經》，使我在《聖經》真道上多有領受。

老毛病大發

五月六日早晨，查經結束之後，吳長老駕車帶我們去看看「基督門徒訓練中心」（「門徒訓練中心」位於永和市的中和路，也是一位弟兄花了一千多萬元買下來捐贈的）。車子是一輛美國進口跑車，是一位愛主的信徒暫借給他使用的。車上一共五個人，吳媽媽坐在吳長老旁邊，我們三個人坐在後座。

當我們經過公館圓環時，吳長老突然來個緊急煞車，把我們嚇了一跳。原來有一個成人騎機車，由羅斯福路方向來，要駛往新店。大概是趕路太急，想闖紅燈，只相差三十公尺的距離，吳長老險些撞到他，只見吳長老打開車窗，向對方說了聲對不起，吳媽媽也向對方說了聲對不起後，我們才開車。其實那並不是我們的錯，不過那個人卻在後面大喊大叫，一副好像要追過來找我們理論的樣子。

我看到這種情形，便對吳長老說：「那人好像要追過來哦！」

范姊妹也說：「沒有撞到他，他為什麼要追來呢？」

我說：「這很難說，我們是一輛豪華的車子，車上又只有一對年長的夫婦。我們三個人在後座，他看不見，因為車上貼的是反光玻璃紙，外面看不見裡面。他可能會上來勒索。我曾經在看守所和一個被告聊天，他說他有一天騎機車，也是差一點被一輛豪華汽車碰到，他就把車上的人拖下來。車上的人表明並沒有碰到他，但他聲稱對方把他身上的細胞嚇死了許多，硬要對方賠償五千元。」

「哪有這麼不講理的人？」范姊妹搖搖頭說。

此時我們已經過了福和橋，突然後面追來一輛機車，超在我們前面，攔住我們，吳長老馬上停下車子。

「你說的不錯，他果然追上來了。」吳長老說。這時候我已經怒火中燒。

那個人下車後，揮揮手要吳長老下車，吳長老就打開窗戶對他說：「我不是已經向你道歉過了嗎？」

那人說：「光道歉不可以，下來！下來！」一副彷彿要吃人的樣子。

這傢伙欺人太甚！我實在忍無可忍，想馬上衝出去教訓他。但這部車子是單門式的跑車，我坐在駕駛座後面，一時出不去，就嚷著說：「吳長老，讓我下車修理他！」

吳長老看我這個樣子，就對我說：「代豪，不要衝動。」但我還是無法止住這股已經膨脹的怒氣。

吳長老先出去，我想跟著出去，但是吳媽媽阻止我。筱玲卻對吳媽媽說，讓我下去看看也好，因為吳長老一個人是很危險的。於是我立刻衝到車子外面。

那人年齡不到四十歲，一副蠻不講理的樣子，橫在馬路當中。我走過去，二話不說，一手抓住他脖子，一個過肩摔，把他扔在地上，再一腳踢在他臉上，他馬上鮮血直流。我再把他從地上提起來，一連兩記鉤拳打在他下巴和鼻子上。

吳長老在背後抱住我，不住地叫：「不要打！不要打！」

那人趁我被抱住的機會，衝到附近一家機車行去找武器。我掙脫吳長老的手追去，他拿起一根大鐵棍，想往我身上打，被我一腳踢開，再朝他臉上狠狠地幹了幾拳。我是學過跆拳的，出拳狠準有力，他被我打得滿臉是血。

頓時，我清醒過來，心想，這下可糟了，我怎麼還是這樣呢？為什麼會如此衝動？這時候，滿街的人都在圍觀看熱鬧。我心裡開始害怕起來，心想我才由管訓隊出來，現在又犯了傷害罪，又將被送回管訓隊了。

情急之下，我想起我剛從日立公司領到的最後一個月的薪水還在口袋裡，於是，我掏出一萬塊錢遞給他，對他說：「對不起，對不起。」

但圍觀的人不明就裡，在一旁起鬨，喊著：「打了人，單單賠錢就能了事嗎？有錢就可以解決一切問題嗎？不要收他的錢，我們可以替你作證，去告他！」

我怕警察來，事情就不好辦了，不如先走為妙。我對吳長老說：「對不起，吳長老，我要先

走一步。」也不管他同不同意，就叫輛計程車揚長而去。沒有人敢來攔我。我坐了一段路就下車，站在馬路邊，四顧心茫然。我痛恨自己，怎麼會這麼衝動？本來好好的一天，竟被我搞成這個樣子。那人雖然可惡，可是先禮後兵還來得及，我卻不問青紅皂白，把他打成這個樣子。這下子可好了，吳長老還要我做他的學生嗎？我一定得另找工作了。我很難過，真是一失足成千古恨，不知何去何從。

沒叫你做的事，你就不要做

後來我找到門徒訓練中心；他們還沒到，我一直坐在台階上等。等了好一陣子，看見他們車子來了。吳長老見到我，沒有說什麼。筱玲卻對我說：「你闖大禍了！」

吳長老就帶我們上樓去參觀。中心是在三、四、五樓，地方不算太大。他帶我們到處走了一下，什麼話也沒有說。我一直不停地對吳長老說對不起。吳媽媽很溫和地對我說：「代豪，以後要學習忍耐。」

吳長老沒有責備我，只簡簡單單說了一句：「以後我沒有叫你做的事，你就不要做。」

我找個機會問筱玲，事情究竟怎麼了？筱玲告訴我，我走了之後，那人把所有事都怪在吳長老的身上。出事地點，正巧就在永和禮拜堂的旁邊。永和禮拜堂也是吳長老和他的同工們所建立的，負責人是漆南智長老，漆長老知道了就從裡面出來，由他出面來處理這件事情。先把那人送

醫院急救，臉上縫了好多針。他一直咒罵，吳長老也不理會他，任由他說。

那人一出院，馬上就去警察局告我們，要吳長老把我交出來。但是吳長老不知道我住哪裡，所以無法告訴他，警察則做了些筆錄。

我知道事態嚴重，心中很惶恐。離開中心後，我和筱玲回家去，一路上，筱玲不住責備我，我也只有默默地承受，覺得她責備得對。回到家裡，我跪在上帝面前，痛苦地認罪，筱玲也跟我一起禱告，把這件事交到上帝的手裡。上帝若要管教，我也甘心接受。

昨天我才向日立公司辭職，願終生奉獻當傳道，沒想到才第一天，我的老毛病就犯了，還打了人，現在吳長老一定不敢再要我了！他怎敢收一個暴徒做他訓練班的學生呢？不但他不敢要我，我想任何人都不敢收我這個學生，我可能又得另外再找工作了。

第二天，我提早半小時去吳長老家，想先替吳長老洗洗車，表示我的歉意和後悔。我七點多鐘到達，吳媽媽來開門，我對她說，我要替吳長老洗車。她說：「不必，不必，吳弟兄已經把車子開走了。」

我問她吳長老去哪裡，她說是為我的事去警察局，我心裡更加難過，吳媽媽反而請我吃了一頓早餐，我又悔又恨。

過不了多久，吳長老回來。他說他想跟對方和解，對方不肯，堅持一定要他把人交出來，不過，他已請了一位訓練中心的董事徐弟兄去處理這件事，因為他和警察局有點關係。他認為我暫時還是不要出面，免得把事情弄僵了。

這一個星期，吳長老天天跑警察局。後來對方也漸漸軟化下來，他也知道自己理虧，沒有碰到他的車子，卻想上來敲詐；只是我打了他，有理變成無理；最後他一定要我出面，事情才可以解決。於是，吳長老要我去向他道歉，我本來不想去，但在禱告之後，我決定順服。

末了，吳長老又說：「如果對方罵你兩句，甚至打你一個耳光，你還能夠忍耐的話，就可以去，否則就不要去。」

之後，吳長老帶我去警察局，對方臉上仍然包著紗布，他看到我，吃了一驚。我向他道歉，說我太衝動了，請他原諒，最後我們就和解了。他要一萬多元的醫藥費，其實這有點過分，因為我們已經替他付過醫藥費了。不過，我們還是賠了他七千八百元，寫了和解書，這事才算告一個段落。

吳長老堅持要替我出這錢，不讓我自己出，令我非常慚愧。

吳長老仍然繼續每天帶我讀經，他總算還要我，沒有把我摒在門外。其實，他就是不要我，也是我咎由自取的。

開始受訓

一九八一年九月開學了，我們第一屆，一共收了九位學生——三位男同學，六位女同學。「基督門徒訓練中心」的課程排得相當嚴密，師資很優良。吳勇長老開「創世記」的課程和「禱告操練」；中華福音神學院林道亮院長開「釋經學」；黃子嘉老師開「新約概論」；鄧敏老

師（黃師母）開「基督教教育概論」；邱志健牧師開「個人佈道操練」；王洪範長老開「工人形象」和「約翰福音」；音樂是由宋及正老師開課；華妮娜老師教授鋼琴；環球福音會在台負責人博仁滿老師教我們英文。我們的功課很重，一學期有二十個學分，老師要求得也很嚴格，可是對我們幫助極大。

我很認真地學習，可是因為已經停學十年，一時還不能完全適應，上帝卻一步步慢慢地陶冶我、雕塑我。

「基督門徒訓練中心」現已改為「基督門徒訓練學院」，與一般神學院不同，特別看重實際生命的操練，只要有高中以上的學歷都可以報考。畢業之後，授有碩士學位或學士學位。學校不大，只有四個樓層，是公寓型的建築，麻雀雖小，五臟俱全。

剛進神學院的時候，教會給的實習費一個月是兩千塊錢，我跟筱玲兩個人加起來是四千塊錢，當時光伙食費就要八佰塊，住宿費是六佰塊，我騎摩托車代步，油費又要個兩、三佰元，還要買書……這點錢根本不夠用。

有一次上課，老師提到在教會裡面除了讀經禱告，還要做十分之一奉獻，就是把你的收入十分之一捐給教會，讓教會統籌運用，支持教會宣教及發展之用，而且老師舉《聖經》〈瑪拉基書〉三：八—十所說：「人不可以試探神，唯獨在十一奉獻的事上可以試試主是不是敞開天上窗戶，傾倒祝福在你身上，以致無處可容。」當時我只聽聽而已，做個參考，但筱玲可是認真的聽，並且立刻實行。

於是每次我跟筱玲領到四千元的實習費，筱玲就會先把四佰塊扣起來奉獻。我那時候因為做生意失敗，虧了幾百萬，每月將近十萬元的利息，壓得我喘不過氣來，而在這些債主當中，有一個就是我之前提過的警備總部職訓處，其他的債主還好說，這個債主的債如果沒有如期還，是有可能被逮回去吃牢飯的，於是，我想說服筱玲先不要十一奉獻，我說：「筱玲啊！我們是不是可以跟耶穌溝通溝通，這錢暫時我們先用著，等哪天我們有錢的時候加倍還給主，好不好？」

沒想到筱玲一聽，便斷然拒絕，我急了，便問她：「為什麼不可以？我想耶穌也不是那麼吝嗇吧，祂有這麼難講話嗎？祂又不是不知道我們眼前的困難，在我們債臺高築的情況之下，要走傳道的這條路已經不容易了，祂鼓勵我們都來不及，怎麼一定要我們奉獻這個錢呢？」

筱玲看我這樣，也實在捨不得，不過，要她放棄十一奉獻，她也不願意，於是對我說：「你不要把這些錢當作錢，你把這些全看成衛生紙，就不會難過了。」

話說得容易，但這花花綠綠的鈔票怎麼看都不像衛生紙啊，不過，看著筱玲堅定的表情，我也只能跟著把牙咬緊了，繼續撐下去。

但事情是如此奇妙，半年後的一天，神學院的吳勇長老跟保力達P的陳董事長有一次碰面，陳董事長很關心我們神學院，就問到神學院的發展狀況，以及「那個浪子回頭的呂代豪」目前如何了，吳勇長老把我的狀況以及經濟上的壓力，一五一十的告訴了他，陳董事長一聽，竟然馬上從口袋中掏出一張支票，解決了我所有的困境。

上帝的祝福無所不在，但這真是我連做夢都不會想到的事。

再度出馬討債

有一天，鄒鼎跑來找我，說有一件重要的事要我幫忙。他說，之前，他在桃園有個案子，剛好，他的朋友之中，有個姓李的，是香格里拉飯店的總經理，對桃園法庭很熟，他就委託李總經理處理這個案子。當時，李總經理向他調了三十萬，說要替他處理案子，沒想到，這個姓李的，不但沒有替他辦事，也沒把錢還他，這筆錢是鄒鼎向人借來給他的，因為是好朋友，所以並沒有要他開借據，只是口說為憑，以至於現在沒有任何憑證可以去要，只好請我去替他把錢要回來。

過去鄒鼎曾幫過我非常大的忙，這次他來請託我，我自然義不容辭，何況又不是要動刀動槍的，只是開開口而已。

下午，吳長老來中心，我告訴他這件事情，吳長老當時也沒有說什麼，只問我：「你去要這筆債，你確信自己不會衝動嗎？」

「這筆債是合法的，我只是要對方還回來而已。」

「能不能不去？」

「不能不去，我已經答應別人了，尤其在他困難的時候。因為他過去對我有恩。」

吳長老看無法阻止我去，就說：「如果對方不肯還，甚至罵你或打你，你都能忍受，那你就去，否則你不要去。」

我說我能，吳長老才答應我去。我們馬上開車去台中，已經是晚上了。我們到了李總經理

家，他堅持不肯還，事情鬧得很僵。要是以前，我早就一拳打過去了。但這次，我居然沒有動怒，一面在心中默默地禱告：「主啊！我朋友有困難，他對我有恩，對方想要賴，求祢讓我說服他，使他還錢。」

後來，李總經理竟然軟化下來，願意先還五萬，以後再陸續還清。就這樣，這件事情很順利地辦成功了。

我當夜回到台北，到了中心時，才知道同學們都在為我迫切禱告。我不知道我讓大家如此擔心，尤其是吳長老，他一個晚上都沒睡好覺，也在為我迫切禱告。真是牽一髮動全身，萬一我犯罪，被逮捕了，不只門徒訓練中心蒙羞、吳長老蒙羞，上帝的名更蒙羞。沒想到我一個人所行，對團體會有那麼大的影響！從那時起，我生命有了重大的改變，開始磨心淬志，忘記背後，努力面前，向著標竿直跑！

呂代豪會改，狗都穿衣了！

一九八一年十一月，我和筱玲認識已經有五、六年了，我很清楚的知道，她是上帝為我預備的伴侶，便向她求婚。雖然在我頑梗不化、一再犯罪的時候，她從未想到我們有一天會結合，但神所預備的，遠超過我們所求所想，因此她答應了，於是我們開始計畫結婚。

不過，這也不是件容易的事，首先要徵求筱玲家人的同意。

筱玲的父親是一位教授，師範大學研究所畢業，一位非常博學的知識分子。過去我把筱玲的

哥哥帶進幫派裡混，又在偷竊摩托車的事件上，讓他爸爸常常跑法院，這個官司折騰了一、兩年，他對我的印象自然是負面已極，好不容易兒子擺脫了我，女兒卻又和我戀愛，對一個父親來說真是莫大的打擊，別說什麼乘龍快婿了，在他眼裡，我根本就是一個無惡不作的大流氓。

儘管筱玲一再跟他父親表達我信了耶穌，過去的事情我都已經改過，但是哪個父親願意把好不容易培養到國立大學畢業的女兒，交給一個前科累累的流氓呢？陳教授生氣起來，甚至還說過：「呂代豪這個人會改，天下的狗都穿衣服了！」

但是父親終歸是疼愛女兒的，他雖然反對我們交往，可也擔心太過激烈的反對，反而讓我們的戀情加溫，所以就採取了拖延戰術，總是以「你們還在求學，應以學業為重，不宜成家」為緩兵之計的理由。而筱玲慈祥的母親雖然當時並沒有明顯的反對，但是我也是到多年後才知道，她母親那時為了筱玲與我的婚事，也常常以淚洗面，以為那是上帝給她的試煉。

那段時間裡，因為接送筱玲，我常常與陳教授碰面，但卻一直不知道他是否已經感受到我的改變與成長？還好德高望重的吳勇長老及時伸出了援手，願意出馬為我提親，我心裡還是七上八下、一點把握也沒有。吳長老和吳媽媽兩人去了筱玲家，而我和筱玲在禮拜堂迫切禱告，兩人內心都很緊張。但人看不可能的事，在上帝則凡事都能。只要是上帝所配合的，即使是父母觀念亦能在上帝所定的時候改變。

非常奇妙，吳勇長老一出馬，果然帶回來好消息，筱玲的父親不但答應我們結婚，而且還不限制日期。我和筱玲聽到之後，雙手交握、淚眼相望，心中真是充滿了感恩。

上帝預備的伴侶

陳伯伯既然同意了，家父就去找他，兩人便一同研究合適的日子。

我們在一九八一年十二月六日訂婚，那天吳勇長老剛好有事去新加坡，就由中心的輔導主任王洪範長老來主持，訂婚禮是在筱玲家裡舉行，雙方親友來了很多。

婚期則定在隔年的一月十六日，因為這是我們學校放寒假的第一天，再晚些，我們就得到南部實習了。

定好日期，我們開始準備禮服、化妝和禮車等等。一月十一日到十五日是期末考，功課很緊，然而上帝的恩典夠我們用。在那段時期，我們的經濟雖缺乏，上帝卻源源供給——包括新娘的禮服、婚禮的禮車，居然都有人免費供應。同學洪明慈姊妹負責替筱玲化妝，因她家開美容院，化妝技術不遜於美容專家；總務事項由宋先惠弟兄負責，他年齡稍長，在永和禮拜堂事奉，曾負責辦理過幾十對新人的婚禮，經驗豐富，婚禮由他包辦，真是高枕無憂；結婚地點是在南京東路禮拜堂。

那天風和日麗。婚禮在下午四時舉行，賓客來了四百多位，整個禮堂佈置得花團錦簇，喜氣洋洋，其中有很多來賓我和筱玲都不認識，大多數是教會裡的弟兄姊妹，和我們並不熟。筱玲原是南京東路禮拜堂的會友，我則屬於林森南路禮拜堂。但因為我倆當時在會幕堂服事，以致在南京東路禮拜堂的時間較少。那些姊妹們都要來看看——一個少女居然敢一封信、一封信地寫給一

個在監獄裡的流氓，向他傳福音；更不可思議的是，這個流氓最後竟悔改信主了，還進神學院，將來要當傳道人，真是個大神蹟！

南京東路禮拜堂詩班、會幕堂詩班、林森南路禮拜堂和中興法商團契詩班都為我們獻詩，整個禮拜堂被擠得水泄不通。我們雙方家長、親友多數都沒有信主，但看到這樣莊嚴神聖的場面，很受感動，福音的種子就很自然地撒在他們心裡。

證婚人是吳勇長老，傅立德牧師讀經，王長淦長老禱告，邱志健牧師主持整個典禮，禮成後溫梅桂姊妹還為我們獻詩。晚上在中央酒店宴請賓客，一共請了三十桌，來了三、四百人，吳勇長老也參加了。因為雙方家長都沒信主，只好從俗大擺筵席，否則以茶點招待，較經濟又實惠。第二天，我們休息。第三天，我陪筱玲回娘家後，上帝為我們預備了一輛蜜月轎車，是南京東路禮拜堂的一位姊妹免費借給我們使用。

一月十八日，我們便南下日月潭，玩了兩天，然後去風光明媚的溪頭。我們在那裡住了三天，除了遊山玩水外，還在旅館裡禱告。我們向上帝祈求三件事，希望在今年年底前成就；一是我們的家人都能夠信主；二是求主保守我們這一年在學校的學習，在《聖經》上能多有經歷，而且滿有聖靈的能力；三是求保守我們在會幕堂的事奉，使青年團契能增添得救的人，並訓練一批熱心服事主的同工。

我們原定蜜月是一個星期，但是玩了五天就提前回台北，參與教會服事。

五條通之役

回到台北，八月一日開始，我們就在會幕堂開始了中山北路探訪關懷的工作。那時暑假尚未結束，加入我們探訪陣容的有十二個人，大多是大專和高中的年輕人。

中山北路社區工作的起源是這樣的。

一九八二年六月，一個星期六的上午，在會幕堂的同工會裡，邱志健牧師說，會幕堂在中山北路的五條通，隔壁就是六條通和四條通，這地區是全省著名的風化區，有舞廳、酒吧、俱樂部、日本酒廊、觀光理髮廳等色情場所。這裡也是幫派的大本營，因為油水多，是兵家必爭之地。

我經過思考後，建議他利用暑假期間組織社區工作隊，去四條通和五條通一帶，挨家挨戶地拜訪，與他們做朋友，深入關心他們的需要。我們知道這是件非常艱難的工作，因為這些人的心，都被歌台舞榭、紙醉金迷的情慾生活佔去了，不過，既然有這個負擔，我們就該去做。

邱牧師將這件事交給我和筱玲負責，我們擬定了一個計畫，每天下午二時到三時，大家先聚集，做工作彙報；三時到四時，兩人一組地出去挨家挨戶探訪；四時到五時，我們便一起回來，再分享探訪心得。

出去探訪，也分成三個階段：先挨家挨戶地散發單張，找尋對社區關懷感興趣的人，以個人協談方式，和他們做進一步的交談。對方若願意，就留下他們的姓名、地址，設法促成第二次的

見面。

剛開始的時候，很不容易，同工們沒有經驗，遇到很多困難。可是我們天天鼓勵他們，天天出去探訪。我們所接觸到的，都是些風塵女郎、舞女、酒吧女，或在餐廳工作的黑社會不良青少年。第二個星期，我們看見很多人敞開他們的心房，與我們做朋友，分享他們不幸的童年與遭遇。

九月份開學了，我和筱玲升到二年級。這時候，林森南路禮拜堂向學校申請，調我回去。他們委託鄭家常長老來辦理這件事。鄭長老與邱志健牧師商量後，決定讓我和筱玲自己選擇。

由於我們的工作正如火如荼地展開，社區探訪工作正做得火熱，而且會幕堂已安排我站主日講壇，又教成人主日學，有很多的學習機會，因此，我們希望仍然留在會幕堂，但是禱告後，上帝很清楚地要我們回林森南路禮拜堂。

當初，一年級的時候，吳勇長老有意留我在林森南路禮拜堂事奉，但是那時候我剛打了人，教會同工們覺得我不太合適，不贊成我去，吳長老也不想勉強他們接納我，就找到學園佳道會的總幹事邱志健。邱牧師就安排一次面談，經過談話，他覺得與我「一見如故」，所以決定接納我。經過了一年，教會裡的人看到我已經改變了，就想要我回去。最後，我和筱玲回到原教會，負責大專學生組的輔導工作。

大專組一共有六、七十個契友。學期開始，吳勇長老又安排我在許多會有講堂的事奉。常常我在沉思之際，會回溯以往，像我這麼一個放僻邪侈、無惡不作的人，吳長老居然敢接納我，實

在太奇妙了。

信仰產生向心力

家人對我信主的事情，一向不加干涉，但他們的態度也一直都是像爸爸對我說的話一樣——你信你的耶穌，我信我的三民主義，互不干涉。

舉個例來說吧，有一次，我回家和父親一起吃晚飯。一面吃、一面跟他講耶穌的事，父親當時沒什麼反應，但不多久，他突然站了起來走進廚房，因為他好半天都沒出來，我就探頭去看，沒想到他竟然為了不想聽我講耶穌的事，而寧可站在廚房裡吃飯。看到這一幕，我心痛不已，只能默默地求上帝，鬆軟他們那頑如堅石的心。

一九八二年三月，一個星期六的晚上，我回到家裡，當時父親正在看電視。我想，無論有多困難，我還是必須再試一次。於是，我對正專注於電視螢光幕的爸爸說：「爸爸，我愛您，這句話我從來沒有說過，可是我真的很愛您。從小我就調皮搗蛋，胡作非為，讓您傷心失望。長大後我老是坐牢，讓您傷透了心，雖然您很少來看我，可是我能體會您的心境，是氣我不成材；可是您內心裡還是很愛我的。爸爸，我現在已經逐漸改變而且會越來越好。爸爸，您放心我一定會的……我希望將來我們能永遠在一起。原諒我說一句很難聽的話，棺材裡面裝的不是老人，而是死人。沒有任何人知道他哪一天會離開世界。」我越說言詞越迫切，甚至都哭了出來。

話說完，爸爸的態度終於不再那麼強硬，便答應了我星期日和我一起去禮拜堂。爸爸去了幾

次之後，不但舉手決志，還走上台去做決志禱告。之後，原來拜關公的母親也在一九八二年十二月信了主；就連頑強僅次於父親的弟弟，以及妹妹，甚至連弟弟的女友王鳳儀也都一起信了主。

在和筱玲結婚之前，我的岳父陳秋隆教授知道我過去那段目無法紀、胡作非為的歷史，所以對我的信任是存疑的，結婚以後，他看出我生命真有很大的改變，而且我對筱玲娘家的人很好，盡心盡力的提供各樣的協助，但卻一直沒有很明確的信仰。

岳父是師大研究所畢業，一生教授歷史與人文，我們一路由形而下的論點，討論到形而上的觀點，最終，在筱玲的哥哥陳一鳴的一段話——「爸爸，您過去不是曾說過『呂代豪這個人會改，天下的狗都有衣服穿』嗎？但現在的狗還沒穿衣服，呂代豪不是已經改變，這不就是神蹟了嗎？」後，岳父的態度終於軟化了。

過了幾個月，我們組織了一個訪問團赴中國新疆烏魯木齊的山區從事希望工程的服務，岳父也參加這個訪問團，就在一九八九年的八月，我們一群人在烏魯木齊的天池，為我岳父陳秋隆教授舉行了洗禮。

新造的人

過去我在台北看守所打官司時，和我住同一個舍房的一個朋友叫許光燦，是個孝子，在坐牢的時候，因為父親過世了，便脫逃出來，準備要賺錢養母親，但母親知道他是脫逃出來的以後，

以自殺來要脅他，要他回去報到，雖然明知道回去一定會受很多苦，但為了母親，不想讓母親難過，便咬著牙回去報到了。

一九八三年，他重獲自由後，與我聯絡，並參加了我們更生會的聚會。三月間，有一天，他騎機車去上班，轉彎的時候，被一輛汽車撞倒，整個人橫飛出去，撞上一根電線桿，被送到醫院，已經昏迷不醒，生命垂危，醫院也已經發出了病危通知單。

得知消息後，我和筱玲迫切地為他禱告，並在當天晚上趕去醫院看他。他的臉被撞得不像個人樣，當年他三十五歲，在牢中十四年，一生年日，幾乎一半都在牢裡度過，如今好不容易浪子回頭，正是準備重新開始的時候，卻遇上了這個災禍，在禱告的時候，我的心裡一直有個感覺，他應該能死裡逃生才是。

果然，過了兩、三天，他清醒過來了，身體也一天天地康復，而且，才在醫院裡住了三個星期，他的傷勢就幾乎全好了，康復速度之快，令人咋舌。這段日子，林森南路禮拜堂有好多位媽媽們常去看他，並送給他慰問金八千元，之後也陸續不斷地有人去看他，這讓他的家人十分的感動，深深地體會到人間有愛。

一九八四年九月份，我已在五股傳道。一天，馮新鎮，也就是四年前與丁毓容一同脫逃出來，後來又被抓回管訓隊的那個「寶貝」(他的外號)來找我，看到他，我嚇了一跳，因為據我所知，他被判了十多年，怎麼算都不可能這麼快出來，果然，他說他已經坐了十四年牢，人生的黃金年華幾乎都「蹲」光了，想到前面還有漫長的十幾年要在牢裡度過，他根本不想活了，所以三

個月前他又脫逃出來了，來找我的目的，無非是希望我能為他安排漁船偷渡到香港，因為他知道我過去有好幾次的經驗。

知道了他的目的以後，我也明白的告訴他，我已經改過自新，不可能再做犯法的事了，所以自然不可能再替他安排偷渡的事。不過，因為他來找我時，大腿受了重傷，據他說是遭到幫派分子尋仇，誤殺所致，請求我收留他，直到把傷養好，我只能同意。他在我這裡住了近一個月的時間，在這段日子裡，我每天都利用一點時間和他談話，談他心理層面的問題。

由於在神學院每週都要接受專業的協談訓練，因此，與人談話的方式，問話的技巧，就與以前有很大的不同。過去和人的談話，總是習慣性的高談闊論，大部分的時間都在高抬自己，設法讓對方知道自己的厲害，結果往往是各說各話，言不及義；如今因為生命上及心態上的改變，我談話時會以對方為主，仔細聆聽對方想表達什麼，並適時發問問題，讓對方把心裡真正想說的話說出來，就這樣，我一步步的進入了馮新鎮內心的最深處。

一個月後，有一天我正要前往位於五股的「中途之家」，帶領弟兄們早上八點鐘靈修(所謂「中途之家」就是我與法務部及更生團契合作租了兩間公寓，讓一些剛從監獄出來的更生人在尚未適應自由世界前，願意來這裡接受我們的幫助的一個地方。)，一進門，就看到馮新鎮跪在我的面前，請求我原諒。

「不得了，上帝向我說話，向我啟示了！」他說。

他向我認罪，說他的腿傷不是因為鬥毆，而是一個多月前，在榮民總醫院出納處作案時，因

誤觸警鈴，在慌亂中脫逃時，被掉下來的大玻璃插入大動脈的傷，來我這裡純粹就是因為腿傷暫時不能作案，想在我這裡躲一躲，等療完傷後再復出江湖。

沒想到原先覺得宗教這些形而上且看不到的東西只是迷信的他，因為在這裡天天被我洗腦，反而被弄得有點不太平衡。那天聚會間剛好輪到他要讀一段《聖經》，他就想事前先準備一下先唸一遍。這時他的傷勢已經復元了，正準備中午就搬走，下午就要去附近犯一個價值上千萬的大案子（他已經盯了幾個月），因此在讀經前，他心裡就這麼禱告著：

「主啊！我想我大概跟祢沒緣分，今天我就要搬走，下午就要作案了！除非祢現在向我說話，否則我是走定了。」

沒想到那天輪到他讀的經文竟是〈新約以弗所書〉第四章二十八節：「從前偷竊的，現在不能再偷，總要勞力，親手做正經事，就可有餘，供給那些帶有缺乏的人。」這句話，彷彿青天霹靂，神點出他的內心，他立刻認罪悔改。

一個禮拜後，我請吳勇長老為他受洗，第二天就帶他回岩灣職訓總隊報到，總隊長吳彥培上校知道了這個過程後直呼「不可思議」，並且感動得流下淚來。馮新鎮在最後管訓四年期間表現優異，帶領七十多個犯人悔改，甚至他的心理輔導官曾金典的生命也有很大的改變，後來進入我辦的拓荒宣教神學院就讀，現在是一位積極從事社區服務、與人為善的優良牧師。

馮新鎮在最後一年的管訓期間，正巧遇上了有史以來最大的一連串暴動事件——由綠島大暴動蔓延到岩灣大暴動，再蔓延到泰源管訓隊，東警部副司令蕭將軍被犯人挾持後，還被用火燒

死，因此警總派鎮暴部隊鎮壓，用機槍掃射，死了幾十個犯人，這是名聞中外的「管訓隊大暴動」事件。

鎮壓過後，犯人發起「絕食抗議」事件，所有犯人都被迫響應，只有馮新鎮與他的七十位同伴不吃那一套，照吃不誤，因為他不贊成犯人不合理的訴求，結果當天被許多犯人圍毆，他仍然不改其色，警備總部怕他被其他的犯人打死，連夜把他從台東調到了北部，並且呈報結訓，重獲自由。現在馮新鎮住在五股，在一家大公司擔任小部門主管，任勞任怨，表現優越。

開始「開荒」的工作

一九八二年八月，當我們剛從埔里山區實習回來不久，五股及陸光一村發生了該地區近五十年來最嚴重的一次水患，當天即有十九個人或被落石壓死，或被洪流捲走，一去不返。整個五股地區沉沒在大水中，尤其在陸光一村，更是傷亡慘重，損失無法估計，我家也慘遭池魚之殃。當時，我和筱玲正在會幕堂帶領福音隊探訪，於是每天清晨，我們都回家協助重整家園。

每當我們回到陸光一村，看到滿目瘡痍的情景，就禁不住向上帝呼喊：「主啊！祢何時在這裡興起祢自己的作為？」感謝主，祂聽了我們的禱告，因而有五股佈道所的設立。

一九八三年二月份，有一天，吳勇長老來我們五股的家中造訪，發現我們眷村以及附近地區雖然幅員遼闊，大約有一萬以上的人口，只有一間台語長老教會在兩公里外，卻沒有國語教會。他回去後，就為這件事禱告，上帝感動他在五股設立教會，並列入林森南路禮拜堂一九八三年的

重要聖工計畫之一——要在五股開荒佈道，就先設立佈道所，開始做傳福音的工作。

吳勇長老說，這是我們第一次從零開始建立教會，即所謂「開荒」工作。因為林森南路禮拜堂（過去是許昌街青年團契）成立三十多年來，雖然已經先後成立了八個教會，但都不是開荒教會。而是住在當地的一些信徒，為了交通方便才成立新教會。五股地方只有我們這一家會友，倒是典型的開荒。教會就委派我和筱玲來籌備這個工作。

五月十日，我們在五股找到一棟二層樓的房子，把樓下作為主日崇拜的會堂，樓上做主日學教室和禱告室。七月十五日，我們教會開始組織福音隊，由青年團契和高中團契一起搭配，在五股挨家挨戶、探訪關懷居民。一九八三年年底，我們在訓練學院兩年半的課程將告結束，剩下的半年，依規定要在教會裡實習，我們就被派遣在五股做開荒教會的工作。

但是，當吳長老指派我和筱玲負責該佈道所的事工時，我內心實在惶恐萬分。因為我在五股地區是個出了名的壞蛋，管區派出所對我的評語紀錄有八個字：「魚肉鄉里，橫行霸道」（這是一九七六年，我在岩灣管訓隊辦理文書工作時，無意中發覺當地管區移送我矯正處分書的原始資料），像這樣的人怎麼在五股傳福音？

可是在禱告中，聖靈很清楚地引導我們「不要怕，只要信」，並且還給了我們明確的應許。藉著〈詩篇〉七十二篇十六至十八節，這樣說：「在地的山頂上，『五穀』必然茂盛；所結的穀實，要響動如利巴嫩的樹林；城裡的人，要發旺如地上的草。祂的名要存到永遠，要留傳如日之久；人要因祂蒙福，萬國要稱祂有福。獨行奇事的耶和華以色列的神，是應當稱頌的。」在這段

話中，上帝清楚地告訴我們祂要賜福五股的工作。

另外，上帝又給我們一段經節，做為祂的應許，但這應許是有條件的，是在〈以賽亞書〉六十二章六至十節：「耶路撒冷啊！我在你城上設立守望的，他們晝夜必不靜默；呼籲耶和華的，你們不要歇息，也不要使祂歇息，直到祂建立耶路撒冷，使耶路撒冷在地上成為可讚美的。耶和華指著自己的右手和大能的膀臂起誓說：『我必不再將你的五穀給你仇敵作食物，外邦人也不再喝你勞碌得來的新酒。唯有那收割的要吃，並讚美耶和華；那聚斂的要在我聖所的院內喝。』你們當從門經過經過，預備百姓的路；修築修築大道，撿去石頭，為萬民豎立大旗。」

在這段經文中，上帝藉著八、九兩節給我們很明確的應許，就是祂必賜福開荒的工作，尤其唸到「五穀」，因諧音的關係，一直感到「五股」撞擊在心坎上，以致有特別的感動與負擔。但這是帶條件的應許，換言之，人要付上應付的代價，上帝才會照祂所應許的成就。

當我讀到「耶路撒冷啊！我在你城上設立守望的，他們晝夜必不靜默。」就意識到禱告的重要，所以我們決定先從禱告開始，我們除了每天同心合意在主面前祈求之外，還在每週五晚上十一點半至凌晨兩點半設立深夜禱告會；此外，我們讀到「你當從門經過經過」，就意識到傳福音要不辭勞苦，不憂讒譏，當挨家挨戶地去傳揚，不但如此，還要設法拿去攔阻人信福音的障礙，做些媒介工作，使人更有機會接觸福音，如勞動服務、免費義診、免費教英、日文、開吉他班等等。

不混黑社會，混教會

那時候，五股還是偏遠之地，住戶並不很多，我們常一群人挨家挨戶的發ＤＭ邀請居民參加英、日文班。

有一天，剛從一個小店家門口發完DM離開，才轉身，便聽到居民們在議論：「怎麼傳福音的都是這款人？」我聽到這句話時，不免滿心疑惑，不明白他們為什麼這麼說，於是我決定直接面對，回頭去問他們原因。

原來小地方話總是傳得特別快，他們早知道我以前是個流氓，曾在當地搶地盤、收保護費，而且很多認識的人都被我修理過，他們說「這個人現在不混社會，改混教會了！」這幾乎就是民間故事「周處除三害」的情節一般，而我就是其中一害。

而另外一個傳聞是，在我們設立教會之前還有個熱心的汪太太，她人很熱心，不但熱心傳福音，並且也熱心打麻將。她們家常常湊個一桌二桌打麻將，汪太太還抽頭。到了禮拜天早上要做禮拜了，汪太太照例熱情的一路招呼鄰居們一起去做禮拜。只是，這一路走去會經過一個菜市場，市場到中午的時侯，菜販大多已經收攤，一夥人就聚在那個小攤子上抓骰子，汪太太往往經不住誘惑，走著走著就走去抓骰子了。每一次她都跟自己說只要抓一把就好，可是每次一待就忘記走，直到有人說：「汪太太啊，做禮拜的時間到了。」她就雙手合十，嘴裡喊一聲「哈利路亞！」骰子一丟，又接著喊：「希巴拉！」（十八點之意。）

這兩件事情在鄉里間已經傳為笑柄，在大家的印象裡，怎麼熱心傳教的人不是做流氓、要不就是愛賭博？我知道要讓大家改變這些印象，沒有別的辦法，只有讓他們看到我的改變，對我產生信任感。

我家住陸光一村二九〇號，住在二九六號有一家人，全家幾乎只要是男孩子都被我打過。那時是因為我發覺他們家老大常在村子裡偷看女人洗澡，有一回，被我抓個正著，就狠狠把他揍了一頓，還要他大白天跪在大馬路旁罰跪。當時他媽媽在旁邊又叫又鬧，我便指著她說：「妳少囉嗦！再叫我就連妳一起修理！」她看到我兇惡的表情，嚇得不敢再出聲，之後，雖然她看到我時，都沒有說什麼，不過，我從她的眼神和表情中看得出來，她這一生最恨的對象應該就是我沒錯了！

這件事是發生在我改變之前，那時，我根本不在乎她怎麼看我，不過現在不同了，我現在是個傳道人了，這問題就一定要解決。

有天我鼓起了勇氣前往她家，要想法子解開這個僵局。由於我們有個會友徐皓鵬是長庚醫院的醫師，我就請他幫忙，帶著血壓器上她家去拜訪，希望藉著這個義診的行為來做溝通的管道。一路上，我不停的禱告，希望去的時候，她或許最好不在家。沒想到門一開，他們全家都不在，就只有她在，她一看到我，二話不說的就要把門關上，我立刻擋住要關上的門，禮貌的對她說，我是專程來向她道歉的。

她當然不信，轉身拿了掃把就往我身上打來，我沒有躲開，雖然很疼，又很難堪，可是我忍

住了，她打了好一陣子，直到氣消了點，我又再度對她說：「對不起，以前都是我的錯，我不應該打你的孩子，我現在很誠懇的向你道歉！請你原諒我。」她當然沒有領情，後來我又再去拜訪了一次，還帶了一盒禮物；等到第三次我又帶禮物去拜訪，媽媽終於軟化了，她說：「以後人來就好，別帶禮物了。過去就算了，我原諒你。」後來，我們帶著她的女兒、兒子一個一個的信主。

無怨無悔的愛心

自七月中旬開始以來，暑假期間，一批年輕學生所組成的探訪隊，在五股地區除了展開探訪關懷工作之外，還成立輔導課業班，免費教青少年英文、數學、物理、化學等課程，報名參加的人非常踴躍。另外，我們組成的社區服務隊，也到人家家裡去幫忙清潔水溝，整理環境，博得當地居民一致的好感，甚至五股鄉鄉長夫人也讚賞我們熱心公益。還舉辦了幾次青少年勵志講座，請我做主講人，勸勉青年學子如何避開各種誘惑，找出一條光明的道路，演講完之後，深受好評，被財經大老李國鼎先生推薦給當時的法務部長邀請我到全省各監所演講，造成一陣陣悔改自新的浪潮。

八月份，五股佈道所開始設立青少年團契、社青團契，以及成人查經班。主日崇拜人數增加到四十人左右，在我們所帶領的會友中，有好幾位的見證非常奇妙。

其中，有一位叫蔡宏毅的，八年前因結夥搶劫，被判徒刑十年，最近剛從台北監獄假釋出

來。經人介紹在五股佈道所聚會，但他患有癲癇症，加上過去吸食毒品過量，每隔兩、三天，癲癇病就發作一次，非常痛苦，連醫生也束手無策。他家在新竹新埔擁有頗大的板栗園，家境富裕。但因為母親因癌症過世，父親再娶，他心裡忌恨這位新來的女主人，甚至預藏尖刀準備殺害這位新媽媽。我們經過深入分析，他因為怨毒而加重他的病情，所以逐漸教導他學習祝福這位新媽媽。當他開始學習，病痛也隨之離開他。

另外有一位丁姓小姐，在泰山美寧洋娃娃工廠上班，平日精明幹練，到處燒香拜佛，台灣有名的寺廟，她幾乎都跑遍了，後來她得了一種怪病，精神萎靡不振，整日喃喃自語，說想要自殺，目光呆滯，家人送她去各大醫院求診，也檢查不出病因。當我們得知此事，便前往台北博仁醫院看她，經過仔細深入關懷，得知是因為遺傳性躁鬱症引起，出院後，就安排她在我們教會中途之家住了一段時間，透過內在問題的醫治，以及外在信仰的幫助，她的病竟也完全康復。

一九八四年初，長庚醫院內科的主治醫師徐皓鵬，鑑於五股地區的醫療水準較為落後，就在佈道所隔壁租了一棟房子，取名為「喜樂之家」，作為免費義診之用。每星期六和星期日，他下班後來到五股，免費為病人看病，並致贈藥品。

不久，仁崇牙科的陳仁崇醫師也捐獻了一台價值十幾萬的牙科機器，給我們作為義診之用。但光有機器，沒有牙科醫生，也是徒然。就在此時，有位大衛牙科的楊聰能醫師，願意在百忙中抽空，每週日下午來此，免費替當地居民洗牙、拔牙，並教導如何防止牙齒疾病等等。

由於他們的熱心和默默耕耘、不求回報的愛心，感動了許多當地的居民。有不少人說在這些

醫師身上，看到了非洲之父史懷哲無怨無悔的愛心。

此外，還有許許多多的人生命得著改變。甚至家庭主婦把孩子帶到五股佈道所請求協助，說如果耶穌能改變她們的孩子，她們都要信耶穌。最後，當地的警察分駐所的所長致贈我一面獎牌，刻有「造福鄉里」四個字，對照著過往管區所對我「魚肉鄉里」的評語，我心裡其實有著無限感慨。

三、四年間，我們教會將近增長到三百人。到二〇〇四年止，我們一共拓展出三十個教會，大的教會有幾千人聚會，小型的教會也可以容納幾十人；大體上來說，所訓練出來的門徒都能兢兢業業，按部就班的在各個崗位上盡忠職守，服務當地的社區居民。最近，我把過去許多資料加以統計一下，發覺這二十年來我所從事協助的更生人工作，所幫助成功更生人轉型，脫離黑道的大約在一百五十人以上，這是我特別引以為安慰的一件事。

Chinese Kung Fu fighter

一九九二年七月，我帶領八個人一支宣教隊伍，前往歐洲宣教，預計前往英國、荷蘭、法國、瑞士、德國、丹麥等地訓練當地華僑。

在荷蘭機場，我因來不及辦簽證不能進入荷蘭，只好與同伴們按照既定行程約好四天後，在巴黎訓練地點見面。我則搭機前往瑞士日內瓦，由友人駕車送我進到法國里昂。到了里昂車站，生平第一次搭乘TGB（即子彈火車，時速比子彈列車還快），到了馬賽，大約凌晨四點鐘。馬賽

是個名聞世界的海港，並且是世界名著《基度山恩仇記》主要發生的地點，對我相當有吸引力，由於還有三天才需與宣教隊伍在巴黎見面，我想利用這難得假期走訪法國南部的名勝古蹟，沒想到第一站，我就碰到四個阿拉伯大盜。

凌晨四點鐘抵達馬賽，為了節省旅館費，我坐在火車站旁噴水池邊的椅子上等待黎明再外出觀光。這個噴水池很美，漢白玉石雕把古希臘神話人物刻劃得栩栩如生，天空湛藍，繁星點點，眺望著馬賽商港，令人心蕩神馳，漸漸的也有了睏意，不由得進入了夢鄉。

在迷迷糊糊中，我感覺有人碰觸我腰際上的霹靂包，睜眼一看，有個阿拉伯壯漢在我面前，後面是三個大漢，我立刻用英文問他們：「你們要幹什麼？」我心想這裡距離火車站才二十公尺左右，火車站裡一大堆人在裡面，他們應該不會太囂張才是。站在我面前的阿拉伯人回答說要找香菸。我反問他：「你們找香菸怎麼會在我口袋裡找，趕快走！」說完他們就走了。

他們走後，我觀察了大約十分鐘，發現周遭都看起來正常了，我才又放鬆了下來，任睡意慢慢襲來。

才剛要入睡，一陣零亂的腳步聲衝向我，我還來不及睜開眼睛，就被人從後面一把抱住，我睜開眼，想要看清楚來的人是誰，不料才一打開眼睛，有東西向我的雙眼噴來，是催淚瓦斯！頓時，痛和辣的感覺迅速的蔓延我的全身，我勉強的睜開眼睛，正好看到一個強盜拿著一把尖刀往我胸部刺來，在千鈞一髮之際，我使出看家本領，用左腳踢開對方的尖刀，再用右手肘反手用力撞擊從我背後偷襲者的腹部，抱住我的那名強盜被如此猛烈的攻擊，立刻鬆手抱住肚子，這時，

我立刻用迴旋踢一腳踹昏前面那位強盜。

當時我心裡知道，處理了這兩個，另外兩個一定會衝上來，但現在的我什麼都看不見，於是，我趁對方還沒有衝上來之前，跳進旁邊的噴水池裡，並用英文大聲喊：「救命！救命！有強盜！」由於夜深人靜，再加上我喊得很大聲，很快的就有兩位警察從火車站裡衝出來，並且向天空開了一槍，大叫「不准動」，但，那些強盜哪裡肯聽，當然是二話不說的拔腿往山下的海港逃跑，警察只能用無線電聯繫，進行追捕。

經過水池的水清洗眼睛，我已經稍微可以看得見了，我從水池出來，剛巧看到之前被我踢昏的強盜正掙扎著想爬起來逃跑，我立刻一腳把他踹倒在地上，將他抓起來，交給隨後趕來的法國警察，我也隨他到警局去製作筆錄。在我到達警局後，大約半個鐘頭左右，警察又陸續的抓回兩個逃犯，兩個人不但被脫得只剩一條內褲，還被法國警察狠揍了一頓。

在詢問筆錄的過程中，他們請來醫生替我清洗眼睛，並有十幾位記者聞訊跑來採訪新聞，被我一腳踢昏阿拉伯強盜的新聞，刊在馬賽當地報紙醒目的社會新聞版上，標題是「Chinese Kung Fu fighter，Bruce Lee 2nd」(中國功夫高手抓強盜，李小龍第二)。這份法文版報紙，我至今仍保留著。後來我用英文問那位強盜，為什麼要拿尖刀殺我，他說他只想用尖刀解開我的霹靂包，並沒有殺我之意。警察並不採信他的供詞，他後來被判了重刑。

二○○○年八月攝於巴西麵包山。

二○○○年六月連崎長老與衆董事。

【尾聲】

——與魔鬼爭戰

歷經刀光血影和十幾個監所，我終於由黑社會殺手成為福音戰士、從強盜變成傳道！現在，我不再想過去的事情，也不再為這些錯誤懊悔。我只想到將來，好好把握餘生，為了愛我的主，與魔鬼爭戰。

二○○二年七月攝於北大校園。

歷經刀光血影和十幾個監所，我終於由黑社會殺手成為福音戰士、從強盜變成傳道！我在監獄裡，前後共待了六年，並不是徒然的，往事歷歷，如影活現，回想我過去的人生，真是如〈羅馬書〉上所說的：「萬事都互相效力，叫愛上帝的人得益處。」如果我不進到綠島管訓隊，筱玲也不會來信給我，我就不會認識她，她也不會向我傳福音；如果我的官司不被陷害誣攀，我也不會去投靠上帝，求祂幫助。這些都是上帝奇妙的安排。

拿我自己來說，我這個人，再關十年、二十年，也是關不好的，可以說是無可救藥。若不是主耶穌的恩典，我的結局不是死刑，就是終生蹲牢房，即使能逍遙法外，也終有一天會死於刀槍的打鬥下；即便是我成功的偷渡到了海外，將來的結局還是一樣。人有了犯罪的天性，到哪裡都是一樣，我能逃出台灣這個地方，卻逃脫不了罪惡的手掌。

這一本書，不是用來誇耀我自己和自我宣傳，而是用來榮耀上帝，並幫助那許許多多和我同病相憐，整天在犯罪漩渦裡打轉的青少年們。但願他們可以拿我來做一面鏡子，懸崖勒馬、回頭是岸。也願這本書能對受刑人和更生人的父母、親友，以及站在第一線的獄政工作者和觀護人、社會工作者有所助益。

過去，我是一個站在審判台前，被審判、被定罪的人，但上帝釋放了我，誠如《新約聖經》〈哥林多後書〉三章十六節所說：「但他們的心幾時歸向主，帕子就幾時除去了。」

親愛的朋友，過去我是個用帕子蒙著臉走路的人，這條帕子雖然很小，但既蒙著臉，就使我在黑暗裡摸索，行事莽撞，看不清楚前面的道路。感謝主，在我心歸向祂的時候，這條無形的帕

子也就除去了。今天，我是一個福音使者，在傳神國的福音。原本我是個何等不配的人，是個道地的地痞、流氓，但上帝拯救了我，在我最痛苦的時候，祂聽了我的禱告，救我脫離罪惡的綑綁。

此刻，我不再想過去的事情，也不再為這些錯誤懊悔。我只想到將來，好好把握餘生，為了愛我的主，與魔鬼爭戰。正如保羅所說的：「弟兄們，我不是以為自己已經得著了，我只有一件事，就是忘記背後，努力面前，向著標竿直跑，要得上帝在基督耶穌裡從上面召我來得的獎賞。」

我們每一個人，將來有一天都要面臨另一個審判台，照我們一生所行的，接受審判！

上帝實在恩待我

這十幾年來，我的腳蹤走訪了六、七十個國家，見到許多人、事、物，遭遇許多患難、危險、山難、空難、水難、高原的危險、盜賊的危險……以下謹以簡述的方式，概略談談這十幾年的經歷。

‧從五股禮拜堂出發

一九八七年底，當五股教會人數已成長近三百人時，有一天，我在禱告中彷彿聽見主對我說：「五股禮拜堂」要成為「安提阿教會」，所謂「安提阿教會」，按《聖經》〈使徒行傳〉的

解釋，就是一個能「不斷對外宣教」且「不斷差派宣教士」出去的教會。雖然，照我的本性來說，我喜歡安逸的生活，而且五股禮拜堂已建堂完成，會友眾多，可以留下來享受辛勤耕耘後的果實。但主對我的要求是「施比受更有福」，於是我們成立「中國宣教使命團」，開始不斷對外宣教，並在兩年間開拓出東區禮拜堂、蘆洲禮拜堂、土城禮拜堂、板橋新光神的教會等四間教會。

此期間，由於海峽兩岸政策改變，國人可以自由進出中國大陸，我也回到了父親的故鄉——湖北省仙桃市。由於多次進出，主把向大陸同胞傳福音及設立慈善事業的負擔放在我們這一夥人身上。如今，我們已在中國大陸設立許多慈善事業的據點，而且事業發展快速驚人。

‧積極培訓傳道人

一九八九年，台灣眾教會在一連串迎接復興的特別聚會後，大家都有一個共識，想在公元兩千年達到「教會一萬間，基督徒兩百萬」的增長目標，為了達到這目標，訓練傳道人乃刻不容緩的任務，於是教會成立了兩年制的「兩千年短宣培訓中心」。由「靈糧堂」負責提供場地及輔導老師，「道生神學院」提供授課師資，「中宣基金會」提供學生實習環境及帶領他們上街頭、夜市佈道。那段時間，我每週帶領三十幾位學生在大街小巷、公園車站、公共場所向碰見的路人竭力傳福音，伸出友誼的手，並領一些人脫離罪惡與毒品的綑綁。如今回想起來，確是刻骨銘心，點滴在心頭。

・赴美深造

一年過後，我獲得美國德州達拉斯神學院的入學許可，並取得赴美簽證，一家四口遷往達拉斯。

兩個女兒分別就讀幼稚園、一年級，我則在達拉斯神學院進修。並被達城一間最大的華人教會(DCBC)聘任為宣教牧師，負責帶領福音隊至世界各地宣教。

達拉斯神學院(D.T.S)是一所世界著名的神學院，以解經嚴謹、護教立場堅定著稱，尤其在關於末世預言主再來的信息上乃舉世公認的權威。於此學校就讀期間，在許多解經大師門下受教，常有如沐春風的感覺。尤其院長肯波博士(DR. Campbell)及副院長築克博士(DR. Zuck)對中國學生特別照顧，我常與他們兩位接觸，請教他們傳道、授業、解惑的真理，實在獲益良多，令我終生難忘。

・異象延伸、致力短宣

進修期間，由於異象的延伸，我們與一群有負擔的人，在美國成立了「北美中宣使命團」的宣教機構。在這段日子裡，台灣的「兩千年短宣培訓中心」(以下簡稱「短宣」)因靈糧堂自己辦神學院，道生神學院亦有短宣班，以致「短宣」面臨是否續辦的危機。後來「中宣基金會」的重要同工一致在主前禱告祈求，最後決定接辦「短宣」，並改名為「兩千年拓荒宣教訓練中心」，由兩年改為四年的訓練。由於接辦一個神學院茲事體大，困難重重，於是我內人決定束裝回國，

投入訓練人才的工作。

‧走過幽谷

在筱玲返台辦神學院期間，北美中宣使會團在全美各地舉辦多次特別聚會，而且我常率領詩歌隊與佈道隊至世界各地宣教，踏訪北、中、南美、歐洲及亞洲各地。正當我的宣教事工彷彿如日中天之際，卻仍不能免俗的傳出了一些不但針對我，且深具傷害性的流言，為我的傳道生涯留下了刻骨銘心的創痛。

感謝主！在我受打擊之際，主仍興起許多愛我的同工在我周圍，陪我行過死蔭的幽谷，特別是陳宏博牧師及我的愛妻筱玲。陳牧師是舉世公認的《聖經》末世預言權威之一，為人謙和，溫文儒雅，為各地華人教會所敬佩，為了我遭毀謗之事，他不遺餘力、夜以繼日地明查暗訪，四處為我澄清，結果他自己的事奉亦遭到極大莫名的抨擊，這種勇氣及捨己的精神，令我深深折服。我的愛妻陳筱玲，從我淪為盆魚檻獸之開始，就不斷在一旁支持我，與我並肩作戰。遭此劇創，她更是以無比之信任，陪我度過此一難關。

‧華航機難，領悟教訓

這段期間，我在美國的學業告一段落，回到台灣，在龍潭與筱玲及一群忠心的同工投身在「拓荒宣教神學院」的訓練工作裡。感謝主為我留下這塊屬靈的「逃城」。在痛定思痛、撫平傷口後，我每週帶領一群神學生在台灣各處廣傳福音，並帶領歷屆畢業班同學在各地生根建立教

會，也看到工作的果效隨著我們，印證主的道。

在事奉主的道路上我並非沒有灰心過，尤其在剛回台灣的頭一年，我甚至興起了「不如歸去」的念頭，打算到中國大陸做生意，不準備繼續傳道。不料，在一九九三年十一月四日，我所搭乘的華航班機要降落香港啟德機場時，因暴風雨的緣故，降落不及，竟衝進海裡，我游泳上岸，並僥倖救了一對母女。當時由於機場關閉，所有的旅客被迫在機場停留一天。在這一天裡，我思前想後，彰往察來，為何有此事發生？上帝是否要我學習新的功課？於是我領悟到一些寶貴的教訓。

(一)聽命勝於獻祭：由於過去坐牢太久，心理不平衡，一有機會就外出講道，尤其對國外邀約的講台，更是很少拒絕。短短十幾年，我竟跑了六、七十個國家；以致跑碼頭太多，沒能好好靜下心來尋求神的旨意。事實上，神所要的祭是遵祂的旨意而行。

(二)領受神的祝福：由於過去失學太久，心理也不甚平衡。在我赴美前，我告訴同工讀完碩士就束裝返國。詎料我一到美國，發覺海闊天空，任君翱翔；讀完碩士，立刻就進入北德州大學進修教育學博士班的課。本來讀書上進是件好事，但我的動機出了問題，想抓住世上的福，想向人證明我非「吳下阿蒙」。然而，從神來的祝福卻不是這樣，它不用靠自己去抓、去奪，倒要專心尋求「神的國」，神自然就會將一切我們所要的賜給我們了。

(三)不受人的稱讚：由於我黑道變白道的背景，許多人對我鼓勵有加，不忍責備；以致在事奉主的道路上，聽到的掌聲太多，在掌聲中背十字架。但主在世時，所走的路卻是一條「不受人

稱讚的十字架道路」。經此打擊，我才能稍微體會主耶穌在世傳道的堅忍與心腸，因為主知道人的心如何。走人生的道路也是一樣，若專愛聽人的稱讚，恐怕就無法持守神所交付的任務了。《聖經》上說：「神所量給我們的地界，坐落在佳美之處。」經過這次試煉之後，我深深體會這句話的意義。神愛我們，祂不願意我們浪費短暫而寶貴的生命。我們要珍惜祂賜給我們生命中的每一次經驗與每一次教訓。我常在主前求問：「主啊！如果不是祢的允許，我一根頭髮也不會落在地上；那麼，為什麼祢允許這些經歷臨到我？祢要我在這些經歷中學什麼？我又如何把這些生命中的經驗，在事奉祢的工作中使用出來？」

・事奉轉型，全心投入拓荒工作

由於事奉的轉型，我開始心無旁騖，專心訓練神學生在北台灣各地拓植教會。一九九三年暑假，我與一群神學生開拓了淡水基督教會、龍潭逸園基督教會；一九九四年，開拓出平鎮聖潔會(與聖潔會同工)、中壢新興禮拜堂(與聖德基督學院同工)；一九九五年，開拓出龍潭崇真堂(與客家崇真堂同工)、龍崗得恩基督教會；一九九六年，開拓出台北活泉基督教會、土城貴格會(與貴格會總會同工)。感謝神，一九九七年神給了更大的恩典，因畢業班學生多的緣故，我們共開拓了桃園中平教會(與桃園信義會福音堂同工)、新莊基督教會、泰山基督教會。一九九八年，學生們更是開拓出湖口日新基督教會、龍潭中興基督教會、埔心讚美的基督教會、貴格會龜山教會，以及淡水讚美基督教會。到了二〇〇四年，我們已開拓出三十間教會。

生命中的燈塔

傳道至今，最令我感念的兩位恩師——吳勇長老、陳宏博牧師。

吳勇長老，在我告別監所，重入社會，情況不甚穩定的時候，吳勇長老以耶穌基督的愛接納我，以慈父愛子的心，為我向筱玲的父親提親，甚至以無比的耐心，容我暴戾、浮躁的脾氣；循循善誘，諄諄教誨，是我傳道生涯的啟蒙導師，今天，我能站在教會講台證道、傳福音，實在要感謝他。

而**陳宏博牧師**，誠如前文所述，在我陷入毀謗風波的陰霾時，他為了幫我澄清、洗冤，不惜四處奔波；在我極度灰心喪志之際，他不斷給我安慰、鼓勵，甚至在我們草創神學院，正愁人手短缺、師資不足之秋，他毅然答應擔任院長，挑起繁重院務之大樑，為神學院奉獻心力。如今，我能重拾起初之愛，繼續栽培門徒，致力於宣教工作，也真是要感謝他！

‧點滴在心頭

除了吳勇長老、陳宏博牧師之外，我特別要提到的還有：許君武教授、梁上元教授、鄭新教牧師、連琦長老、余宗澤長老、唐江濤、趙敦華、王建軍先生，這幾位在我一生裡面，對我幫助可以說是非常大的人。

許君武教授，是留學英國的博士，是中國早期的法學權威。當年連前總統蔣經國看到他，都要尊他一聲「老師」，並敦聘他為國策顧問。那時，我在監獄打官司，其實像我這樣一個前科累

累的人，很容易就被法官用「自由心證」的方式駁回我的上訴，因為要調查我的案子，不但勞師動眾，費財費力，而且牽涉的層面很廣，要找出我不在場的人證、物證，除非很有擔當的法官，否則很難改判我的案子。

筱玲那時還是一個大學生，為了我，她幾度去求見素昧平生的許教授，但是老人家非常的忙，除了上課，還有四處的演講，好不容易見著了，許教授一聽到是要他幫這樣一個人，他搖搖頭，非常不以為然。

有一次，學校要辦演講，陳筱玲特別請她中興大學的社會學系的系主任，邀請許君武教授來演講；那次演講，來了三、四百個學生，非常成功。會後，許教授藉這個機會就跟系主任談到筱玲，系主任用四個字形容這個女孩子，他說：「品學兼優」。許教授這才相信了筱玲的陳情，也對我有了不同的觀感，後來便透過他的幫忙，讓審判長注意到我的案子，比往常還要更費心力的調查，終於找出我的不在場人證、物證，讓官司能夠重新改判。我永遠不會忘記他的恩情！

梁上元教授，不過比我大四歲，她是馬英九台灣大學的同學。台大畢業以後，到美國哈佛大學讀完兩個碩士，後來，回台灣的大學教書。當時，她看到我們有三個使命：拓建教會、訓練工人、廣傳福音，並計畫訓練出一萬個傳道人覺得很感動，所以長期以來一直很支持我們的工作，甚至多次自掏腰包把她的存款幾百萬幾百萬的捐出來，讓我們可以成立中國宣教使命團。

在五股那地方開拓教會時，是我工作非常忙碌、辛苦的階段，同時我們又連續兩年生了兩個女兒。為了讓我與筱玲能專心工作、無後顧之憂，梁上元教授替我們花錢請了保母，甚至好幾年

來都是由她負擔。我想，那時中國宣教使命團如果沒有她，就不可能成立，她對我們中國宣教團的開始，真有不可磨滅的功勞。梁教授雖然纖細文靜，卻是一身俠骨，喜歡打抱不平，行俠仗義。父親是黨國元老梁寒操，由於系出名門，熱情豪放，常介紹一些好朋友幫助我們，如孫觀漢（有中國原子之父之稱）、柏楊（文學家）、陳毓秀（現為文建會主委）。十幾年前她移民美國克利夫蘭城，但我們永遠祝福她。

鄭新教牧師，是海山貴格會的主任牧師。鄭牧師，溫文儒雅，是屏東枋寮人，高雄聖光神學院畢業。鄭牧師非常熱心公益，所幫助過的人不計其數，但他喜歡「左手做，不讓右手知道」，並且喜歡雪中送炭。在我過去被毀謗期間，許多朋友離開我，他仍堅定不移的支持我。並擔任神學院的常務董事，介紹許多人在財務上、課程上支持這個學校。使這個學校轉危為安，進入另一層新的境界。

我從這位朋友身上看到上帝「一代忠僕」的榜樣。而且他有兩句名言令我印象深刻，而且也常用此針砭自己。第一句是「成功不必在我」；第二句就是「把功勞歸給別人，把榮耀歸給上帝，把喜樂歸給自己。」

王建軍，是我在達拉斯神學院讀神學碩士時認識的朋友。我住在達拉斯，他住在休士頓。有一次，我受休士頓救恩堂教會的邀請，過去演講，晚上就住在他們家。他和夫人吳月媛都是虔誠的信徒，我們一見如故。後來，我有機會就帶領王建軍到中國大陸地區去宣教。並開始了長期互信、互諒的情誼。

那時，他們在休士頓開豆芽菜製造的工廠，全美國華人裡面，可以說是做得數一數二的。在台灣有一些人想要發展事業，他立刻就免費提供價值幾十萬的豆芽菜的生產機器，就運到台灣來；而且還在楊梅埔心那邊租下一個廠房，讓教會的弟兄在那邊幫忙經營。王建軍弟兄夫婦他們的熱誠跟金錢上的資助，令我非常地感動。

媛姐待我的兩個女兒視若己出。眾所周知，美國生活開銷驚人，但兩年之間，他們不但不收一毛錢，而且還給女兒們住最好的房子、享受最好的待遇，讓我們夫婦可以沒有後顧之憂，專心在台灣及大陸工作。如今，兩個女兒都已在加州讀大學，但我們永遠忘不了他們夫婦的恩情。

王建軍是位食品營養專家，生產各種有機食物，包括豆腐與芽菜，廣受社會大眾歡迎。幾年前，他為了幫助訓練我們的人才能在中國大陸開設豆腐及豆芽菜工廠能自力更生，就在龍潭租了一間廠房，把價值數十萬美金的機器運來台灣，幫助訓練我們的同工。這種不計代價，只求耕耘，不問收穫的精神，深深令我們感動。

連琦長老，對我一生也有很大的恩情。他是中壢基甸會的會長。長期以來，他一直致力在監獄、學校、旅館，到處發聖經，讓很多很多的心靈得到改造。在連長老擔任會長期間，他積極爭取能進入桃園縣的大專院校及高中、國中，能讓基甸會進入校園發送聖經及演講。經過許多人多年的奔走努力，看到顯著的果效，我因此常應邀做講員。

不過學校的演講活動都一樣，這些學生大多是被老師們規定要來的，年輕人好動，哪裡能好好坐得住？半個小時以後很多同學就開始講話聊天、傳小紙條，更有甚者，連橡皮筋都拿起來

射。可是有幾次，連琦長老聽到我給學生們講話，他發現我在講的時候就不一樣了，底下的聽眾都聚精會神地在聽，甚至，有孩子本來要把橡皮筋射出去的，聽我講著講著，一時被吸引住，橡皮筋就拉在手上，一直到講完居然都忘了射出去。

連琦長老很驚訝，於是，他就特別安排我到各高中、大學的週會上做演講，不管是在桃園、新竹或是台北，幾乎各中學、高中、大學都走透透。在我的演講中，他知道我希望神學院找到一塊土地，能夠建校，訓練許許多多的神職人員，將來深入各個階層。因為台灣的犯罪率一直在提高、犯罪年齡層一直在降低。如果有教會的設立，可以幫助許多人悔改向善，脫離罪惡。之後，他竟然大方的把名下在中壢中央大學一塊三千坪價值上億的土地捐給了我們，讓我們可以成就夢想，這個土地，就是現在的拓荒宣教神學院的現址。

這個佔地三千坪的校區，綠意盎然，還有個小池塘，是個非常美的所在。

連琦長老真是一個傳奇人物。他來自一個福建貧窮的鄉下惠安。小時候家徒四壁，父親不務正業，窮到連蚊帳也要常常拿去當，而且一喝了酒就回來打老婆。他的母親長期不堪折磨，自殺過三次。有一次，大概他九歲，放學回家，正奇怪著家裡怎麼沒有聲音，抬頭一看，看到媽媽正吊在橫樑上面，他立刻衝出去求救，還好，把媽媽救下來了。

那一次的經驗令他畢生難忘，他告訴我他媽媽醒過來就哭著對他說：「孩子，媽媽活得好苦，生不如死。你將來一定要爭氣。替媽爭一口氣！」雖然，因為家貧只有小學畢業，可是他從未忘記母親的期望，一生在事業上奮鬥，後來，他做房地產、開鋼鐵工廠，樣樣成功，這才讓他

有了富裕的經濟條件。一賺了錢，不忘本的連琦馬上託人回到他的家鄉福建惠安，蓋了壩頭小學、壩頭中學，也蓋了當地的教會。更難能可貴的是，他捐錢捐地，但總不願居功，甚至不願留下自己的名字。無論家鄉親人怎麼勸他返鄉接受盛大歡迎，他總不接受。由於連長老全家已經移民紐西蘭，所以他半年住在台灣，半年回紐西蘭。

在台灣期間，我每週至少與他見一次面，請教做人處世之道。連長老已八十三高齡，身體非常健康，而且相當健談。與他談話，常常備受壓力，因為他常不客氣指出我的缺點與弱點。對於人性，他分析得非常透徹，我因為是神學院的院長，而且是一個團隊的負責人，所以常常聽到的，大都是稱讚和掌聲，但與連長老談話，聽到的盡是不加修飾的真實話，實在是受益無窮，而且常是一言驚醒夢中人。

唐江濤長老，是中科院的博士，也是石門水庫教會的長老，夫人是連續六屆連任桃園選區立法委員朱鳳芝女士。多年來，唐長老一直是拓神的常務董事，而且還做過好幾年的董事長。拓荒宣教神學院與其他神學院有一個很大的不同點，因為我們不屬於任何西國差會與宗派，所以沒有任何財團固定支持。不像長老會的台灣神學院與台南神學院，是美國長老會支持；浸信會神學院，是美南浸信會支持；衛理神學院是美國衛理宗支持。唯獨我們的拓荒宣教神學院，只由幾個有異象使命的中國人發起設立，所以辦校之財務艱難，可以想見。唐長老多年來參與這份工作，無怨無悔，每年都把他在中科院的年終獎金全部投入不說，還到處奔走募款，勞心勞力，費財費時，對這位兄長的鼎力支持，我心中充滿了感恩。

余宗澤長老，台大化工系畢業，留美取得MBA學位，現為展茂光電公司董事長，也是拓荒宣教神學院現任的董事長，拓荒早期階段，華路藍縷，胼手胝足，所訓練出來的人才，也是在各地開荒佈道，無中生有，所以非常辛苦。加上我的性格導向比較是開拓型，比較會往前衝刺，守成不易，前門開得大，後門也大。自從余長老委身董事會擔任董事長之後，拓神即開始進入一個新的局面，余長老擅長組織分工，讓每個董事充分發揮其本身所長，為學校效力。我受過他所教導的「性格導向DISC訓練」，這個專業訓練課程對我一生獲益極大。在社會工作或在教會服務，常會發現：「為什麼他就是不了解我的意思？」「為什麼我覺得和這種人在一起工作很累？」余長老以幽默風趣的言談，科學化的評量幫助我測出溝通障礙及衝突原因，教我了解自己與對方，進而肯定自己，接納對方，這一套專業課程幫助我和我們團隊有太大的果效，我在這十年中一共上過六次課，每一次都不斷地調整自己。古人所謂益者三友「友直、友諒、友多聞」，余長老不但博學多聞，而且會用愛心說誠實話，提醒我許多應注意而未能注意之事。現在我們不但在神學院同工，而且也在台北市一起開拓「約明首都教會」，成立社區關懷中心，幫助有需要的人。

趙敦華博士，是北京大學哲學系主任，也是北大人文學院副主任。二〇〇一年，我修完美國California international theological seminary的教育博士及North China theological seminary的神學博士後，前往北京大學講學訪問，有機會與趙主任有多次談話的機會，在幾次的談話，我了解北大在歷經清末民初新舊文化勢力的對立消長，西方傳教士進入中國辦學，早期的北大承續了完全西式的教育課程、教育理念和辦學方式。老北大的第一任校長嚴復，學貫中西，對培育中國人

才，不遺餘力；接著他的入門弟子如沈兼士、錢玄同等人，以輸入新文化，改革大學時弊為己任，以致後起之秀，如蔡元培，陳獨秀、胡適、劉半農，續文學革命，倡導思想自由之風氣，北大之獨特個性以及強調自由的學風，遂成為北大早期最鮮明的旗幟。

在趙主任的引導之中，我得以略窺哲學奧祕的殿堂。古希臘人說，哲學來自於人類的一種獵奇活動。其實人類的好奇心是與生俱來的。在我們小時候，總會對周圍的一切發出孩子式的疑問：人為什麼不能像鳥一樣飛起來？小狗為什麼不能說話？當我們漸漸長大，我們兒時的困惑被後來所受過的教育一一解答；漸漸地，我們的感覺開始麻木，我們會對身邊的一切習以為常，直到變成不折不扣的庸人。

在這種時候，如果還有人能對世界保持這種孩子式的好奇，那他就有可能展開哲學這種獵奇活動。比如說，當他仰望天堂，面對茫茫宇宙，他會問自己：這世界到底是什麼？比如說，當他發現自己睡著之後，精神仍在活動，他就會問：精神和肉體是可以分離的嗎？人死後，靈魂還會存在嗎？

在與趙主任的談話中，我發覺哲學引起我強烈的興趣，於是，我選擇進入哲學系博士班就讀，但因為博士班以撰寫論文為主，而我沒有哲學系的背景，需要加修碩士班的課程，所以在二〇〇年暑假開始，每年寒暑假我即前往北大進修上課。在趙主任門下受教，有如沐春風的感覺。並且在二〇〇三年的十月二十六日我通過了國務院全國研究生高等檢定考試(錄取率只有十分之一)。在中國大陸，沒有通過這種檢定考試，就不可能取得學位。主要有兩科考試，一是英文，

二是專業科目(我是哲學)。英文是國務院六級檢定，約在美國托福程度(TOFEL)六百分左右，由於我過去赴美留學時托福成績是六百三十分，所以這方面問題不大。但哲學專業就需下苦功，尤其是馬克斯主義哲學(一共考五科，西洋哲學、中國哲學、馬克斯主義哲學、科學哲學、倫理哲學)，我以前從來沒涉獵過馬克斯主義，所以挑戰很大，此次考試能順利過關，實屬僥倖，通過檢定考試後，接下來開始要撰寫論文了。

最近常有人問我，已經讀完兩個博士學位，為什麼還要再讀，不會疲倦嗎？我的回答是「活到老，學到老」，學海無涯，人生還有太多可學的東西。北大學府，人文薈萃，是令人嚮往，想一窺奧祕之處。尤其北大校景幽美，徜徉在未名湖畔讀書默想，令人心曠神怡，寵辱皆忘。趙主任有大師的風範，畢業於比利時魯汶大學哲學博士，這所大學歷史悠久，是孕育歐洲哲學大師的溫床。在趙主任門下受教，字字珠璣，令人回味無窮，聽其講授歷代偉哲的人文歷史，如數家珍，透過趙主任對那些哲學家的思想素描以及追憶讓我窺見近代中國政治、思想、教育的光榮與夢想，屈辱與遺憾，而了解其背後不朽的人文精神。

筱玲，我的天使

此外，還有一個人，我想我一生都感激她。她現在是我的妻子，得力同工；然而，回溯當年，她只是個單純的學生，怎麼會願意寫信到監獄，給一個只是「哥哥的同學」的「呂大哥」？又怎麼敢與一個「黑道流氓」分享福音、討論真理；之後，還願意與他交往、談戀愛、結為連

理？她……真是個天使！被上帝差遣來幫助我，為我原本黑暗的環境帶來一線曙光；在我接受她所傳的耶穌基督之後，我的生命更是被真光照亮、照透！每每想起這一切，心頭總是暖暖的。

雖已結婚多年，但我仍要對她說一句：「筱玲，謝謝妳！」

上帝實在是恩待我，祂從來沒撇棄我，在我人生、傳道的路上，祂不僅安排了三位貴人扶持我、牽引我，更帶領許多屬靈牧者、兄長在神學院建校、拓植教會的事工上予以協助，點滴在心頭，無法一一列出，但實在由衷地感激！

唯願獻我一生為主所用，以報耶穌基督的救贖、眾牧者兄長的愛護。

和台北市市長馬英九一起游泳前的合照。

一九九三年十一月四日飛機失事及墜海所攝。

【附錄一】

——迴響

二〇〇三年全家福。

判若兩人

吳勇

「人是有所不能，上帝是無所不能。」這句話用在本書上正是合適。筆者雖未認識從前的代豪，卻看見過他從前的照片；那種狂傲、兇狠的神態，真是令人厭惡。自從上帝的恩惠和憐憫臨到了他，奇妙的能力，奇妙的改變，塑造了一個新人。筆者只能說，現在的代豪與從前判若兩人，與他接觸過的人，必會高呼「榮耀的主是應當稱頌的」。

代豪進入門徒訓練學院學習，剛開始，許多有心的人，因為知道他那段為非作歹、目無法紀的歷史，所以都為筆者捏一把冷汗。人常說：「江山易改，本性難移。」萬一他又走回原路，筆者個人損害事小，門徒中心損害事大。事實上這幾年來，看見上帝的信實和上帝的保守，使代豪一直唱著：「我已經決定要跟隨耶穌……不再轉回……」邁向新的人生路程。

《舊約聖經》〈創世記〉人物中，雅各有靈性，以掃沒有靈性，靈性是裡面的事，是眼睛所看不出來的；如果光看外面，似乎是以掃比雅各美好，雅各比以掃醜惡。我們是上帝手中的工作，上帝在沒有靈性的人身上沒有工作，在有靈性的人身上工作；所以以掃還是以掃，但是雅各就變為以色列。所以希望讀者從這本書看見上帝在代豪身上的工作，一同將榮耀歸於上帝。

（二〇〇四年四月於基督門徒訓練學院）

從毛蟲到蝴蝶

陸國棟

常見醜陋的毛蟲，變成美麗的蝴蝶，不禁讚美造物者的奇妙。毛蟲人人厭惡，牠在哪裡，哪裡便遭殃；所到之處，枝葉皆被啃得一乾二淨，慘不忍睹。但當牠蛻變之後，卻成了翩翩飛舞、美麗可愛的蝴蝶，不但不啃吃枝葉，並且在花間穿梭勞碌，成了開花結果的功臣。牠的蛻變，我們往往視為當然，殊不知牠經過了死與復活的過程，其中的艱辛與苦痛，無人能夠體會，只有毛蟲自己知道。

代豪由流氓而囚犯，到基督門徒而教會傳道，上帝奇妙地差遣一位奇女子陳筱玲小姐——現在的呂師母——帶領他認識主耶穌。祂使他蛻變，並為祂所用，成為台北基督徒五股禮拜堂的傳道人，正是一條大毛蟲變成了花蝴蝶。

筱玲是更生團契最早的同工之一，使我很早就認識代豪，並一同去監獄及教會傳福音。《收刀入鞘》一書，是他蛻變的全部過程，我一口氣將它讀完，不忍釋手；看見代豪的例子，使我對更生團契的監獄福音工作更加努力。

回想從事獄政工作三十年，自問未能教好犯人，連一個也沒有。倒是在主創立更生團契以後，用我在監獄裡廣傳福音，救了不少的靈魂。現在我要敬虔地向上帝祈求，求祂帶領代豪，成為將來監獄福音工作的接

棒人；過來人領人過來，比什麼人都更恰當。

代豪於書成之時，囑我推介，我不僅樂意，也是責無旁貸，爰綴數語，歸榮耀與天上的父神！阿門。

（二〇〇四年四月於基督教更生團契）

二○○三年和筱玲一起的夫妻合照。

【附錄二】

——五封書信

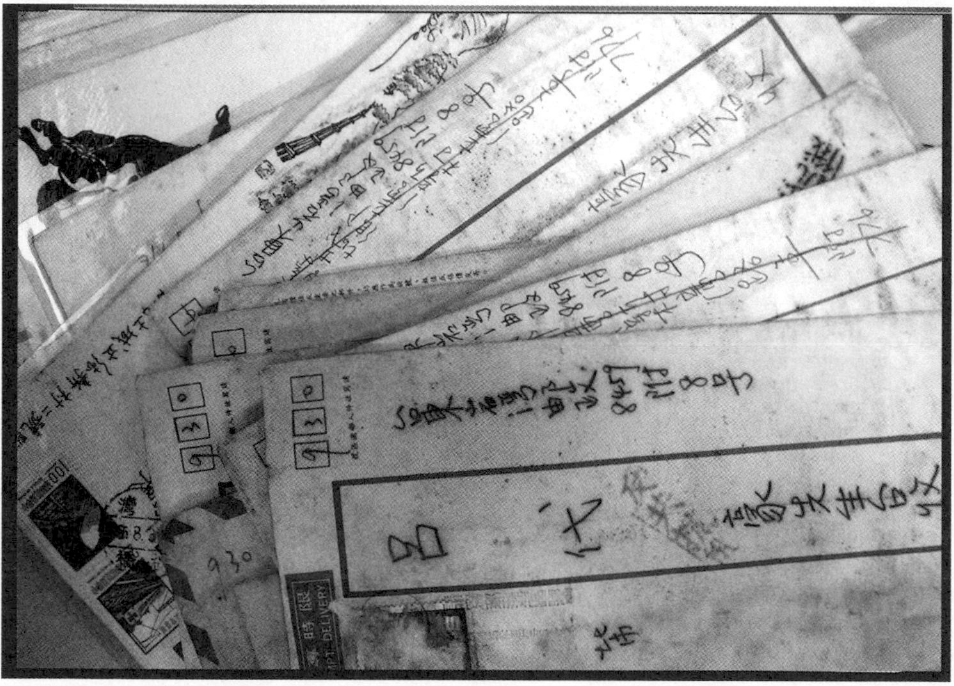

我和筱玲往來的信件，總共有五百封，但因水災之故，只剩部份保留至今。

【敢愛，就轟轟烈烈】

筱玲：

「天下莫弱於水，而致堅強者莫之能勝，以其無以易之。」——《國語》

「生而不有，為而不恃，功成而弗居，是以不去。」——《左傳》

我不喜歡把女孩子叫做「馬子」，尤其是對自己所真心愛的女孩。我執過韁繩，也跨過鞍背，所以知道兩者完全不同，至少在意境上。

真是愚不可及，如果硬要把女孩稱為馬子。

女孩永遠是女孩，不會錯的；否則，改叫「姑娘」也可以。

有些女孩很可愛，尤其閨名裡嵌有「小」這個字的，唸起來特別悅耳。

但是可愛的女孩常常給人氣受，我就常常受氣，尤其是最近。

今天房裡有位朋友告訴我一個囹圄裡流行的傳言：「女人是善變的，一般被告所愛的女孩，將來十之八九會變成別人的太太。」

這倒不是亂蓋的，有例可證。

但是，「如果敢吃牛皮糖，就不要怕黏牙齒。」同樣地，既然敢愛，就不要怕失戀。

逢迎阿諛，君子不齒；死皮賴臉，丈夫不為。

無論如何，能轟轟烈烈地愛上那麼一回，也夠本了。

當然，能開花又結果，該有多好！

我要睡了，晚安。

今天，是值得感恩的一天。雖然，生活在一方陰暗的囚房裡，我卻覺得有陽光和雨露在滋潤著我。每天，除了運動的時刻，我總是不斷地吸收知識，求取進步。在每天的禱告和讀經裡，我都湧出內心的讚美和喜樂，更換了一個新環境，我內心擁有的東西吸引了房裡的人，於是我開始對他們述說神的恩典，傳給他們奇妙的福音。雖然，目前他們是存著一種狐疑的態度隨著我一起禱告、讀經，但是，我堅信，漸漸地，聖靈一定會降臨在他們身上。

我深深察覺，受苦的囚黎，太需要父神的眷顧了。在這重利忘義的社會上，世人都遺棄了我們，唯有獨一無二的真神，祂永不離棄我們。

這是一個初冬時令，空氣乾爽，涼風撩人。我洗浴完畢，佇立在窗前，仰頭望向悠悠白雲，極目之處彷彿瞥見上主浩瀚的恩慈，像萬道霞光一樣溫煦地射著我。渺小如我，竟承受了這份厚愛，我，該如何感恩圖報呢？

再談，祝

愛主更深！

又及：稿紙快用完了，煩請代購一點。

注：這是代豪寄給筱玲的第三〇一封信。

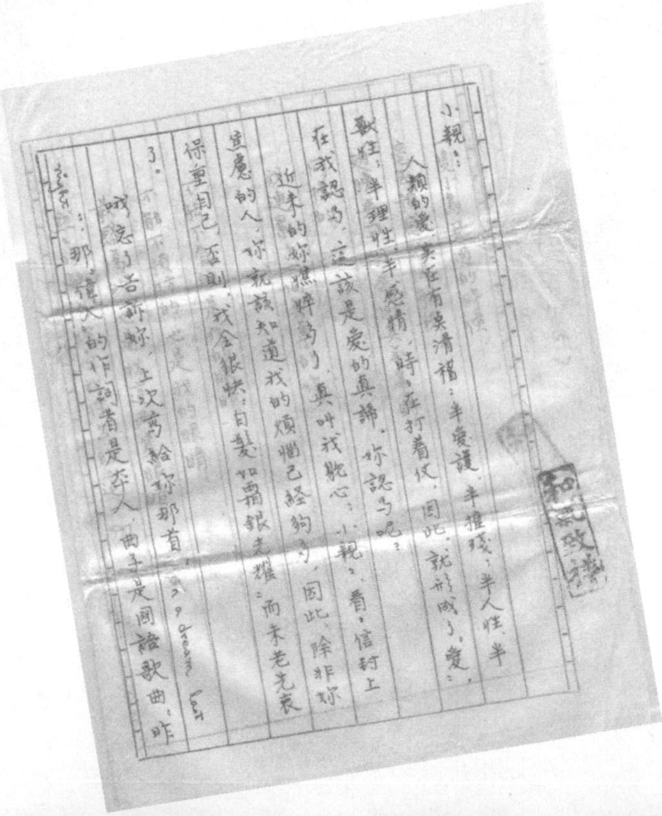
小親：

人類的愛，其實有其清福：半愛護，半摧殘；半人性，半獸性；半理性，半感情，時，在打着仗，因此，就形成了愛，在我認為，這該是愛的真諦，你認為呢？

近來的妳憔悴多了，真叫我耽心：小親，看，信封上

宣處的人，妳就該知道我的煩惱已經夠多了，因此，除非妳

保重自己，否則，我會很快：白髮如霜銀光耀，而未老先衰

了。

哦，忘了告訴妳，上次寄給妳那首 in a dream last

那首的作詞者是奈人，曲子是國語歌曲，昨

【咀嚼孤獨的美味】

筱玲：

在這世界上，知我、解我最深者，除了妳，再不會有別人了。

但是，妳真能完全了解我嗎？並不。其實，這有什麼關係呢？許多時候，我甚至連自己都捉摸不透，何況是妳？然而，妳只要能在基督裡知我、解我，一切也就足夠了。

我常常自問道，我生在世上有什麼目的，我之所以活著是為了什麼？我知道全能的父神創造每個人都有一定的目的，但是我不曉得祂給我的目的是什麼？我以前曾想找出它，到現在已經繼續嘗試很久了，但總不能得到一個滿意的答案。這次我又想到這問題，但還是不能徹悟，我真怕越想越搞不清楚。

正這麼胡思亂想著，後來不知怎地，我發覺自己正在祈禱。所有的煩思都從腦中一掃而空，心裡只有恬靜，我想起了但以理在獅坑中的故事，想起了基督的各種應許，這給我帶來了平安。

要抱這種態度一直下去實在很難，而且也不是一蹴可幾的，但是靠著主的憐憫，我逐漸學會了這種態度，這並不是說我已成為良好的基督徒——我還差得遠，我只是

全心的信賴主，化錯誤為可貴的經驗，學習走信心的道路，唯父神是賴。而且，我堅信，祂確在暗中察看我。

今天，與妳談了一席話，也深深的撫慰了我。雖然，要想與妳再見，必須等到一星期後，但我並不惶恐，因為我早已習慣了。我知道，橫在我眼前的，將是一段崎嶇不平的旅程，我必須要求自己孤獨，與喜愛孤獨。我知道，在尚未回到妳身邊之前，孤獨感不可能離開我，我如果不能適應它，那麼，那日子會很難過。

我並不是一個十分喜愛孤獨的人，但是，環境如果不允許我做更好的抉擇時，我會適應孤獨，而且喜愛孤獨，並從中領略出孤獨的美味。

人生不能無癖，不能無癡，不能避免孤獨，是這麼淺顯的道理，導引我走向那不可知的路，現在、未來。也許，只有將自己推入全然的孤獨與靜默中，我才能覺得對自我的掌握較為穩扎。莎士比亞說：「To be, or not to be, that is the question.」我認為很有道理。

「天下本無事，庸人自擾之。」每次想到這句話，心裡總會有股傷感。宇宙本是簡單而有秩序的，可是因為世界上庸人太多，所以變得既複雜又混亂。我時常警惕自己不要做個自擾的庸人，可是事實證明了，我竟是一個不折不扣的庸人，更時常上演「自擾」的好戲。

晚安吧！

物各有宜，人各有適，放於自得，任其性，意與正足。

擱筆。

祝

如意！

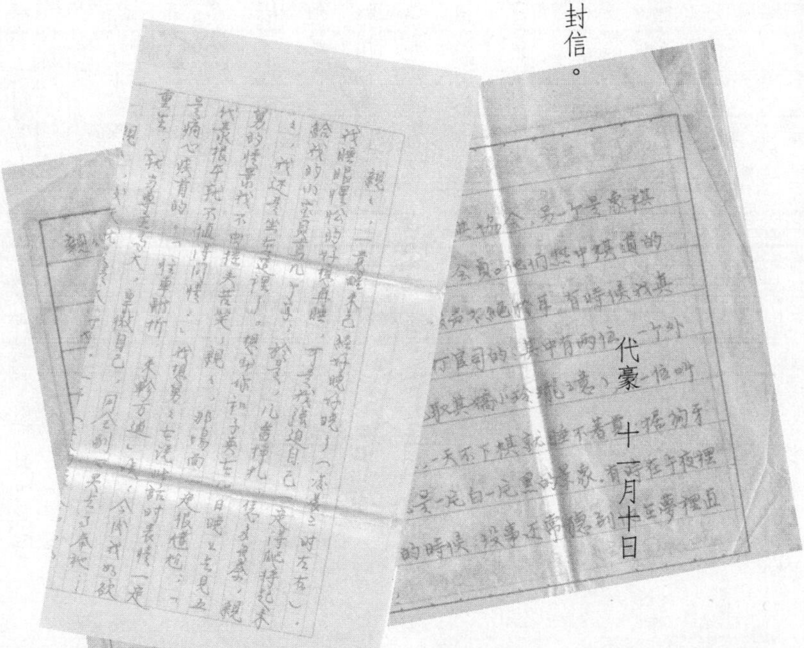

代豪 十一月十日

注：這是代豪寄給筱玲的第三〇四封信。

【放棄老我，願意嗎？】

代豪：

近來我愛上了陳之藩的散文，他的文筆是多麼樸實無華，又是多麼活潑生動啊！上課看他的文章我常會不自禁地笑出聲！代豪，我主張好的文章要多看，但貴在精不在博。

× × ×

代豪，從您第一六六封信中，可以看出您是個多麼「貪心」的人哪！您愛一切您想愛的，您做一切您想做的，一樣也不可短少。代豪，您是個魚與熊掌兼欲得的人。代豪，您知道嗎？全世界不可能有這麼美好的事！您又犯了盡追求「完美」、「理想」的錯誤了。而且您對您的神，也太不信任了，您以為神跟您的家人一樣，除了供給您一種固定親密的關係外，就毫無作用了嗎？

神是「活」的神！（祂是任不得您像愛「神奇的木偶」一樣愛的，祂要您聽祂的聲音，順服祂的旨意，探討祂的心意，哪有愛祂但不遵行祂的道理），將萬事看成糞土，並不是叫您不愛我，不愛您的家人，而是，當神問您，「你願捨下一切（包括您所最愛的），來跟從我嗎？」您即使流下傾覆整個世界的眼淚及帶著痛苦破碎的心靈，您仍要

說：「主啊，我願！」代豪，不要以為選擇了主，主就會把您的一切通通沒收，祂反倒會加添的，您不信嗎？您信心不足嗎？那麼，您就是為這事禱告了一百年也值得。（根本不要去背什麼固定的禱告詞，您不背膩，神也會聽膩的，因為那不是發自清新的靈自然的禱告，形式上的禱告，一句也不可說，那就等於是假冒偽善的法利賽人了。）

代豪，您好會為自己狡辯喔，您豈不知，您總歸說了一句話，就是，您雖然愛神，雖然願意順服神，但目前您不願意放棄原來的自己。代豪，您這讓我牽靈掛魂的人吶！為何總是這麼冥頑不靈？您豈不知，您不願順服所產生的掙扎與痛苦，遠較於索性順服（雖在小信中顫抖），來得更劇、更烈嗎？噢，代豪，讓您放下一切（哪怕寫信、背單字、畫十大建設圖，甚至讀經），誠懇的告訴主（此禱告需前無古人說過的），神看重您的人，遠甚於您所做的事工，且神看重您的心靈，遠甚於您讀經，禱多餘的告；所謂心靈是愛神一分，活出神的生命一分，斷不可能非常愛主而卻依然我行我素，那是多麼虛偽的生命啊！您願把畢生精力放在祂身上（神會還給您一個更美、更刺激的世界的，倘若您這麼愛世界的話），愛祂、了解祂、遵行祂的道、思想祂的話吧……！

代豪，也讓我伴著淚陪同您一起跟慈愛的父神說：「主啊，求祢明鑑孩子們交託仰望的心，孩子們雖愚魯缺乏智慧，孩子們雖軟弱缺乏能力，但孩子們一生一世，甚至到地老天荒，都仰望祢。主啊，祢知道孩子們除祢以外，別無所求了，這樣禱告是

奉主耶穌基督的名，阿門！」代豪，最後讓我告訴您，您若不仰望耶穌，那麼，生命將會是多餘的了。

晚安！

P.S. 我的憂心從神而來，代豪，不用對我解釋什麼，跟神說吧！

筱玲　六十七年　一月十七日

注：這是筱玲寄給代豪的第一三二封信，更正他原來錯的觀念。

【「右巴掌」的挑戰】

代豪：

代豪，您第一六七封信中提到，「如果有人打您左臉，您是不是該把右臉轉過來，默默地準備再挨一個耳光」，「我難道會希望您是仰人鼻息，唯唯應諾，卑顏屈膝的窩囊廢？」

代豪，後面一句話的答案，當然絕對是否定的！一個基督徒雖然皆必須具有謙和忍讓的美德，但卻不是唯唯應諾，卑顏屈膝！諺云：「大丈夫能屈能伸」，「屈」時豈是唯唯應諾、卑顏屈膝？「伸」時又豈是有勇無謀、暴虎馮河？代豪，您當在基督裡建立嶄新的新生命，俟一旦建立，則屹立不搖，直到地老天荒就好了！（基督生命裡，有柔有剛，其柔能克剛，其剛能治柔。）

至於，前面一句話，代豪，您可知基督講時是用來作比喻的，祂想讓人了解究竟「寬容大量」可大到什麼程度？（即，人打了您一個左巴掌，右巴掌再任他打，也無所謂。不是？）代豪，您又可知，這個比喻的前提，人卻必須具有不容讓人抨擊的人格。（即沒有錯誤，沒有罪惡，否則讓人打上幾個巴掌又能計什麼呢？）因此，代豪，在神裡面的義人，當儘管去學義人的功課，要是有一天神允許撒旦的試探臨到您（就如您在

完美無誤的生命上，挨上一巴掌），那麼，就是考驗您學習功課的時候。

——有些基督徒，他們會忍不住，上前回賞了對方好幾巴掌；

——有些基督徒認為，當以一報還一報，雙方彼此互不相欠；

——有些基督徒則認為，雖然氣憤極了，但立刻背向仇敵，面向基督，尋求基督的公義，並等待祂的賞罰；（祂絕對不會不管您的，凡屬祂的子女，祂必終日眷顧；但此乃祂吩咐的試煉，祂或許會沉默，反之若不出於祂，那您的仇敵有禍了。）

——還有些基督徒，則甚或照聖經上說的，敵人打了自己一左巴掌，右嘴巴再遞出去任對方宰割。（不是虛偽造作，反之出於沒有憤怒的、心甘情願的，這表示第一掌是知道對方也和我一樣是個罪人，第二掌是表示接納對方是個罪人，要相信神自有祂的公義，祂不會讓祂的子女有白白地損失的。）……說實在，代豪，對「忍耐」的相關功課，我常常只能做到第二（少部分時候）或第三種（大部分時候），不知什麼時候才能學習到第四種？唉！代豪，現在好晚了，我要睡了。

晚安，不，早安！

注：誠實的照著您心裡所願行的去做，那就對了！

筱玲　六十七年三月二十一日

注：這一封信是筱玲寫給代豪的第二〇五封信，信中代豪提及一個《聖經》問題，筱玲提出她自己的看法。

【在試煉中學習忍耐】

代豪：

好難過，最近感到撒旦不斷地在得逞，不論在周遭的環境中，在原本平靜安穩的心湖裡，牠都節節得勝。怎麼辦呢？不要憂愁，今天上帝給了我一些應許的啟示，即要「忍耐」，像約伯受試煉時一般，經得起任何考驗，羅馬書第十二章十二節說道，在指望中要喜樂，在患難中要忍耐，禱告要恆切。

剛放暑假，照例地需要把全家上上下下仔仔細細地清潔一番，然後我打算擬定一套學習計畫，如果成功了，我想我必定會成為一個徹頭徹尾嶄新的人，願上帝幫助我。這學習計畫是相當嚴肅的，擬好之後我會將計畫告訴您，其目的不外乎是扎實地裝備自己，將來好隨時奉獻自己。

七月我報名參加了三種完全不同性質的活動：一是「輔導同工會」。此會性質乃訓練同工，成為更有效率的基督徒；二是「青宣大會」，這是眾基督徒禱告已久的聚會，參加人數約一千四百人。我相信上帝在此聚會中，必要大大興旺其奇妙的作為，教這一時代的青年基督徒明白什麼是這時代青年的使命和任務。(日期在七月二日至七日，地點在文化學院。)；三是「福音夏令會」，以傳福音性質為主，主題為「愛」，

此活動就是具體的服事了。(時間在七月十六到十九日，地點在中原理工學院。)

噢，代豪，現在我又好難過了。代豪，知道麼?我不是三歲小孩子。我不會為了一件事情表面的結果難過。每每使我真難過，真傷心的，總是有教我不得不擔憂的原因。

比如您又「受到惡人的誣攀了」。為何您經常受到惡人誣攀呢?這錯真是在乎那些「惡人」麼?撒旦想敲鑼時，絕不會找敲不響的鑼來敲。您認為您真辛苦麼?您真的反省過自己具有相當程度的忍耐力麼?試想，耶穌受難前，被眾人戴上荊棘冠冕，穿上紫袍，被人吐唾液在臉上，受人當眾嘲笑，祂的反應是什麼?祂豈是沒有權柄把眾人治死麼?……

代豪，一個基督徒，若不經過與基督同死的生命歷程，斷不能體會與基督同活的新生命。代豪，我們生命的主權是於上帝的。(如果您覺得交給上帝管，您實在不習慣，也不放心。我勸您現今最主要學習的課題，應立刻轉為「生命研經」，求父上帝在聖經中開您心靈的眼，叫您明白，祂是何等真實，且慈愛、豐盛的上帝。)否則我們怎能說，我們要服事上帝呢?……

唉!代豪，有些問題不說也罷，我必須去打掃房子了，有話下次再說吧。

願

父旨成就!

筱玲　六月二十八日

注：這一封信是筱玲寫給代豪的第四〇八封信，當時代豪在岩灣職訓隊，正受到陳某的誣攀而寄給筱玲一封求援信，筱玲因之覆信。

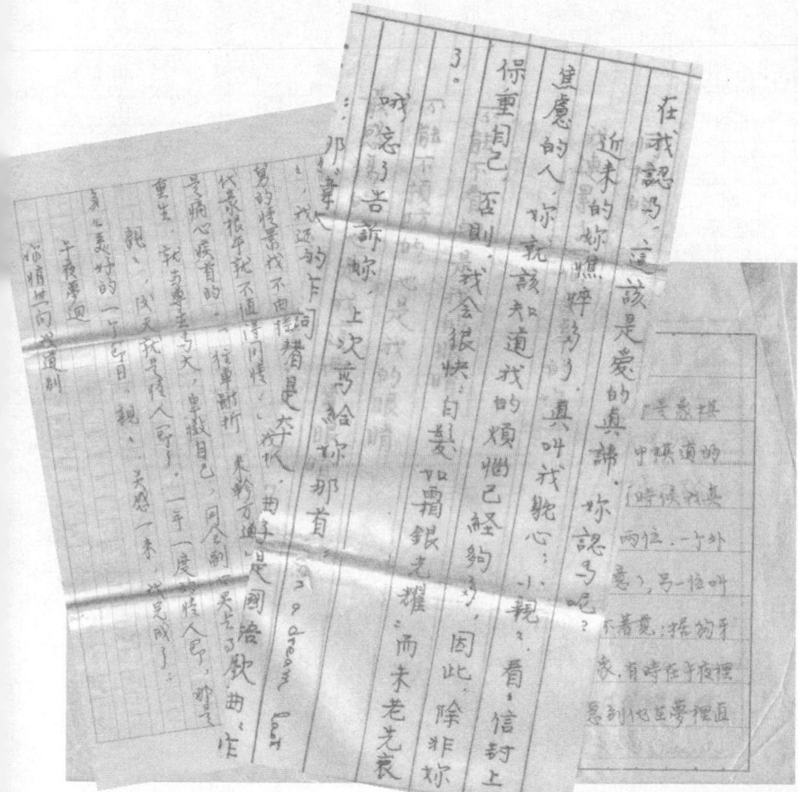
在我認為，這該是愛的真諦，妳認為呢？
近來的妳憔悴多了，真叫我耽心；小親親，看看信封上
焦慮的人，妳就該知道我的煩惱已經夠多了，因此，除非妳
保重自己，否則，我会很快白髮如霜銀光耀耀而未老先衰
了。
我忘記告訴妳，上次寫給妳那首

一手建立的神學院校園一景。

【附錄三】

二〇〇三年六月拓荒神學院畢業典禮時介紹貴賓。

讀完我的真實人生故事，您感受如何？心動不如馬上行動，以下是我由多年熬煉中所領悟的心得結晶，供你參考。

若您是——青少年朋友

真正的英雄，不是好勇鬥狠、恃強凌弱，而是寬厚磊落、關懷弱勢。回想起來，我青少年時期的個人英雄主義觀念，真是大錯特錯！

「誘惑」和「時機」不同，它總是給你第二次機會。所以真正「酷」的人，總能抓住時機做該做的事，並要盡力遠離色情、暴力、毒品、飆車。

記住，煩躁不安、愁悶無聊、走投無路時，只要用心，仍可找到許多去處、許多活動、許多朋友。

若您是——受刑人或被告

悔改是人生的強力膠水，幾乎什麼都可以修補，最重要的是真心悔悟。

犯了罪，當然要付出代價，敢做不敢當，只有越陷越深，把大好人生糟蹋在躲閃流竄中。監所不是夏令營，進職訓隊更不是參加自強活動。但是，有決心的人，仍然可以找到自我成長的空間；我的英文、日文、寫作、繪畫，都是在監所中打下基礎的。如今，許多監所皆開放給基督徒進去幫助受刑人，也有基督徒願意無條件擔任通信義工，與您紙上談心，千萬別錯過哦！

若您是——更生人

刑期有長有短，卻都是人生不可磨滅的烙印。有心的人，能化痛苦經驗為成長的能源，我的故事不就是最典型的例證嗎？

犯罪、受刑有如在木板上釘一根釘子，出獄就像拔出釘子，仍會留下釘孔。但只要有足夠的耐心，還是可以將它雕成一朵玫瑰，或一隻飛鳥。

若您是——家長／親人

任何問題發生，總會有一段時間，問題大到您束手無策，而又小到您有氣無力。因此，對兒女或親人保持密切的關懷，是絕對必要的。

打罵，絕不是萬靈丹；平心靜氣地溝通，才是發現問題、解決問題的良策。

溺愛放縱，是害他們，而不是愛他們；「忙」絕不是藉口，「物質」絕不能取代真正的愛。

與其將來奔波探監，或進出警局、觀護所、輔育院，不如現在每天花幾分鐘與兒女或親人相處。

不知道怎麼做嗎？看書、聽演講或請教學校輔導人員吧！教會或社福機構也常有研討課程。

當櫃檯小姐都要受訓，當父母、當長輩，難道不該充實自己？

若您是——獄政、矯治人員／社會工作者

只要是人，皆會犯錯。有人失風被逮，有人逍遙法外；有人表現於外，有人伺機待發。人，包括您、我在內，誰好誰壞？又有誰在蓋棺論定之前，敢拍胸脯保證自己永遠紀錄清白？

而受刑人也是人。

監所體系是矯治體系，目的在使壞人變好，或至少朝變好的方向改進。但您我心知肚明，「心」不變好，「人」哪有可能變好？心靈改革的重要性就在於此。

您站在第一線，危機四伏，壓力極大。規定重要、技巧重要，而誠正公平更是不可或缺。力不從心嗎？「信仰」已被證實是最有力的媒介、矯治法，因為唯有信仰能帶來真正的心靈改革。

若您是——教會人士

神愛世人，包括賢愚、貧富、貴賤、美醜、各色人種；當然，也包括受刑人、更生人。

當初，若非基督徒無條件的關懷、接納，我今天不知是何種光景！

主耶穌說：「我另外有羊，不是這圈裡的，我必須領他們來，他們也要聽我的聲音，並且要合成一群，歸一個牧人了。」（〈約翰福音〉十章十六節）

受刑人和更生人，就是這樣的一群羊。他們的心靈嗷嗷待哺，他們有的是思考的時間，可說是上好的禾田。

與其高喊掃黑、反黑、改善治安，不如致力於治本之道，監所和更生人的福音工作做得好，才是心靈改革的落實，社會治安也就邁進了一大步。

《收刀入鞘》新書講座

愛可以止暴，可以讓頑石點頭！

——一位由黑道變成傳道的真實故事

主講人：呂代豪

時間場次：

六月五日（星期六）／下午兩點半到四點（金石堂新竹店）

六月八日（星期二）／下午七點半到九點（金石堂信義店）

六月十二日（星期六）／下午兩點半到四點（金石堂雄光店）

六月十五日（星期二）／下午七點半到九點（金石堂信義店）

洽詢及報名專線：（〇二）二七六三四三〇〇轉五一五九

國家圖書館預行編目資料

收刀入鞘 / 呂代豪著. -- 初版. -- 臺北市： 寶瓶文化, 2004
[民93]
面； 公分. --(Vision：023)

ISBN 986-7883-74- 8
1. 呂代豪 - 傳記
782.886 93007286

Vision023

收刀入鞘

作者／呂代豪

發行人／張寶琴
社長兼總編輯／朱亞君
主編／何錦雲
編輯／張純玲
校對／何錦雲・呂代豪・陳佩伶・張純玲
美術設計／林慧雯
企劃主任／蘇靜玲 財務主任／趙玉雯
業務主任／羅瑜瑤
出版者／寶瓶文化事業有限公司
地址／台北市110信義區基隆路一段180號8樓
電話／(02)27634300#5159
E-mail／aquarius@udngroup.com
郵政劃撥／19446403寶瓶文化事業有限公司
印刷廠／盛詮印刷股份有限公司
總經銷／聯經出版事業公司
地址／台北縣汐止鎮大同路一段367號三樓 電話／(02)26422629
如有破損或裝訂錯誤，請寄回本公司更換

法律顧問／理律法律事務所陳長文律師、蔣大中律師
著作完成日期／二〇〇四年四月
初版一刷日期／二〇〇四年五月
初版七刷日期／二〇〇四年五月二十五日
ISBN ／986-7883-74-8
定價／二八〇元

AQUARIUS 寶瓶 文化事業

愛書人卡

感謝您熱心的為我們填寫，
對您的意見，我們會認真的加以參考，
希望寶瓶文化推出的每一本書，都能得到您的肯定與永遠的支持。

系列：V023　　書名：收刀入鞘

1. 姓名：＿＿＿＿＿＿＿＿　性別：□男　□女
2. 生日：＿＿＿年＿＿＿月＿＿＿日
3. 教育程度：□大學以上　□大學　□專科　□高中、高職　□高中職以下
4. 職業：＿＿＿＿＿＿＿＿
5. 聯絡地址：＿＿＿＿＿＿＿＿＿＿＿＿＿＿＿＿＿＿＿＿
   聯絡電話：(日)＿＿＿＿＿＿＿＿(夜)＿＿＿＿＿＿＿＿
   (手機)＿＿＿＿＿＿＿＿
6. E-mail信箱：＿＿＿＿＿＿＿＿＿＿＿＿＿＿＿＿
7. 購買日期：＿＿年＿＿月＿＿日
8. 您得知本書的管道：□報紙／雜誌　□電視／電台　□親友介紹　□逛書店　□網路
   □傳單／海報　□廣告　□其他
9. 您在哪裡買到本書：□書店，店名＿＿＿＿＿＿　□劃撥　□現場活動　□贈書
   □網路購書，網站名稱：＿＿＿＿＿＿　□其他＿＿＿＿＿＿
10. 對本書的建議：(請填代號　1. 滿意　2. 尚可　3. 再改進，請提供意見)
    內容：＿＿＿＿＿＿＿＿＿＿＿＿＿＿＿＿
    封面：＿＿＿＿＿＿＿＿＿＿＿＿＿＿＿＿
    編排：＿＿＿＿＿＿＿＿＿＿＿＿＿＿＿＿
    其他：＿＿＿＿＿＿＿＿＿＿＿＿＿＿＿＿
    綜合意見：＿＿＿＿＿＿＿＿＿＿＿＿＿＿＿＿＿＿＿＿＿＿＿＿
11. 希望我們未來出版哪一類的書籍：＿＿＿＿＿＿＿＿＿＿＿＿＿＿＿＿

讓文字與書寫的聲音大鳴大放

寶瓶文化事業有限公司

(請沿此虛線剪下)

S0-AWN-728

廣　告　回　函
北區郵政管理局登記
證北台字 15345 號
免貼郵票

寶瓶文化事業有限公司　收

110台北市信義區基隆路一段180號8樓

8F,180 KEELUNG RD.,SED,1.

TAIPEI.(110)TAIWAN R.O.C.

（請沿虛線對折後寄回，謝謝）